D1048322

# En proie à la passion

# Johanna LINDSEY

# En proie à la passion

Traduit de l'anglais (États-Unis)
par Elizabeth Luc

POUR elle

Si vous souhaitez être informée en avant-première
de nos parutions et tout savoir sur vos auteures préférées,
retrouvez-nous ici :

**www.jailupourelle.com**

Abonnez-vous à notre newsletter
et rejoignez-nous sur Facebook !

*Titre original*
JOINING

*Éditeur original*
Avon Books Inc., N.Y.

© Johanna Lindsey, 1999

*Pour la traduction française*
© Éditions J'ai lu, 2000

# 1

*Angleterre, 1214*

Assis dans l'antichambre du roi Jean, Walter de Roghton espérait encore obtenir l'audience qui lui avait été promise. Voyant les minutes s'égrener sans que l'on vienne le chercher, il songea avec amertume qu'il ne s'entretiendrait sans doute pas avec Sa Majesté ce soir. Parmi les nombreux seigneurs venus solliciter une faveur du souverain, seul Walter parvenait à ne pas trahir son angoisse.

Ses craintes étaient pourtant légitimes, car Jean Plantagenêt, le roi le plus détesté du monde chrétien, était un être vil et sournois. Pour impressionner ses ennemis, il n'hésitait pas à pendre des enfants innocents retenus en otages. Heureusement, ces pratiques méprisables se retournaient à présent contre lui : effrayés et écœurés, ses barons se détournaient chaque jour davantage de leur souverain.

Par deux fois, Jean avait tenté d'usurper la couronne de Richard Cœur de Lion, son propre frère. Par deux fois, il n'avait obtenu le pardon que grâce à l'intervention de leur mère. À la mort de Richard, la couronne lui revint enfin, après avoir fait exécuter son jeune cousin Arthur, le seul autre prétendant au trône.

Certains trouvaient néanmoins des excuses au benjamin des quatre fils du roi Henri. Après le partage du royaume entre les aînés, il ne lui resta plus aucun bien, d'où son surnom de Jean sans Terre. Mais, loin d'être une victime, ce roi, qui avait répandu le mal, était un ennemi redoutable.

En songeant aux nombreux méfaits du roi, Walter ressentit une bouffée d'angoisse. Il parvenait cependant à montrer un visage serein à quiconque daignait l'observer. Le jeu en vaut-il la chandelle ? se demanda-t-il pour la centième fois. Et si son projet tournait à la catastrophe ?

Walter pouvait finir sa vie sans jamais attirer l'attention du roi. Après tout, baron de second ordre, il n'avait nul besoin de fréquenter la Cour. C'était bien là son problème. Il n'était guère influent… et n'avait pas l'intention d'en rester là.

Autrefois, sa situation avait failli changer, lorsqu'il avait courtisé Anne de Lydshire. Mais un seigneur de plus haut lignage l'avait devancé. En épousant Walter, cette riche héritière lui aurait apporté la fortune et la puissance grâce aux terres de sa dot. Au lieu de cela, son père avait marié la jeune fille à Guy de Thorpe, comte de Shefford, qui avait plus que doublé ses biens, faisant de sa famille l'une des plus puissantes d'Angleterre.

Pour son malheur, le mariage de Walter se révéla fort peu lucratif. Les terres apportées par sa femme, situées dans la Marche, furent perdues lorsque le roi Jean, condamné par la Cour des pairs pour l'enlèvement d'Isabelle d'Angoulême, dut renoncer à ses territoires français. Walter aurait pu conserver ses terres s'il avait juré allégeance au roi de France, mais il aurait alors dû abandonner son patrimoine situé en Angleterre, qui était composé d'un domaine plus vaste que celui de la Marche.

Comble de malchance, l'épouse de Walter ne lui donna qu'une fille unique. Elle n'était assurément bonne à rien. Aujourd'hui, il allait enfin tirer parti de Claire, son enfant, qui, à douze ans, avait atteint l'âge nubile.

Cette visite au roi avait donc deux objectifs : se venger de l'affront subi lorsqu'on l'avait jugé indigne d'Anne, et s'approprier enfin le domaine de celle-ci – et davantage encore – en mariant sa fille Claire à Tristan, le fils unique de Shefford.

Le projet était habile et le moment propice. Selon certaines rumeurs, Jean envisageait une reconquête des terres des Angevins qu'il avait jadis perdues. Walter possédait un argument de poids qu'il espérait pouvoir exposer au roi si ce dernier acceptait de le recevoir.

La porte s'ouvrit enfin. Chester, l'un des comtes en qui Jean avait encore entière confiance, introduisit Walter dans la chambre du roi. Il s'agenouilla vivement devant Jean, qui l'invita à se relever d'un signe impatient.

Malheureusement, ils n'étaient pas seuls, comme Walter l'avait imaginé. La reine Isabelle et une dame de compagnie étaient présentes. Walter, qui n'avait jamais vu la reine, demeura bouche bée. Les rumeurs étaient loin de la vérité. C'était sans doute la plus belle femme du monde, en tout cas la plus belle d'Angleterre.

Le roi Jean était deux fois plus âgé qu'elle. Au moment du mariage, Isabelle avait à peine douze ans et la plupart des nobles préféraient attendre quelques années avant de consommer leur union. Ce ne fut pas le cas de Jean. Isabelle était bien trop belle pour qu'il puisse résister très longtemps à ses charmes, d'autant plus qu'il jouissait d'une réputation de grand séducteur.

Bien qu'il fût plus petit que son frère Richard Cœur de Lion, Jean était un bel homme de quarante-six ans, aux cheveux bruns striés de gris. De son père, il avait les yeux verts et une carrure trapue.

En remarquant le regard admiratif de Walter, Jean ressentit une certaine fierté, habitué à ce genre de marque d'admiration envers son épouse. Il s'enorgueillissait de sa beauté. Mais son sourire s'effaça vite. Il était tard et il ne connaissait pas ce dénommé Roghton. On lui avait simplement dit que l'un de ses barons avait une nouvelle urgente à lui transmettre.

Sans préambule, il demanda :

— Je vous connais ?

Walter rougit en réalisant qu'il s'était laissé distraire de sa mission.

— Non, sire. Nous ne nous sommes jamais rencontrés. Je ne viens en effet que rarement à la Cour. Je suis Walter de Roghton. Je m'occupe du petit domaine du comte de Pembroke.

— Dans ce cas, il fallait confier cette nouvelle à Pembroke, qui me l'aurait transmise.

— C'est strictement confidentiel. Et il ne s'agit pas à proprement parler d'une nouvelle, avoua Walter.

La curiosité de Jean fut piquée au vif par cette réponse mystérieuse. Lui-même excellait dans l'art du sous-entendu et des joutes verbales.

— Quelque événement que je devrais connaître mais que vous ne pouvez confier à votre suzerain ? fit-il avec un large sourire. Je vous en conjure, ne me faites pas languir plus longtemps !

— Pourrions-nous nous entretenir en privé ? murmura Walter en jetant un regard à la reine.

Jean fit la moue, mais entraîna Walter vers une banquette, devant une fenêtre, à l'autre bout de la pièce. S'il discutait de bien des sujets avec sa ravissante épouse, il préférait garder secrètes certaines conversations.

Walter en vint au fait.

— Votre majesté est certainement au courant des fiançailles contractées autrefois, avec la bénédiction de votre frère Richard, entre l'héritier de Shefford et la fille de Crispin ?

— Oui, je crois en avoir eu vent. Une union absurde qui relève plus des sentiments personnels que des intérêts économiques.

— Ce n'est pas vraiment le cas, sire, corrigea Walter avec prudence. Votre majesté ignore peut-être que Nigel Crispin est rentré de Terre sainte à la tête d'une véritable fortune, dont une grande partie servira de dot à la mariée ?

— Une fortune ?

Le roi parut soudain très intéressé. Il avait toujours manqué des fonds nécessaires à l'administration de son royaume car Richard avait vidé les caisses pour mener ses croisades sanglantes. La fortune d'un petit baron pouvait-elle l'intéresser ?

— Qu'entendez-vous par là ? demanda-t-il. Plusieurs centaines de marcs et quelques coupes en or ?

— Non, sire. Un véritable trésor. Une *rançon*.

Jean se leva d'un bond, incrédule. Il ne pouvait s'agir que de la rançon versée pour son frère Richard lorsqu'il fut capturé à son retour de Terre sainte.

— Plus de cent mille marcs ?

— Le double, au bas mot, répondit Walter.

— Comment diable êtes-vous au courant de cette affaire ?

— C'est un secret bien gardé dans l'entourage de lord Nigel. On raconte même comment il a héroïquement acquis cette fortune en sauvant la vie de votre frère. Il ne souhaite pas que cette histoire s'ébruite. On le comprend, avec tous les brigands qui sévissent dans nos campagnes. Moi-même, je l'ai appris par hasard, lorsque j'ai su à combien se montait la dot de la fiancée de Shefford.

— Et de combien s'agit-il ?

— Soixante-quinze mille marcs.

— C'est inouï ! s'exclama le roi.

— Mais compréhensible, puisque Crispin possède moins de terres que Shefford. Crispin pourrait acquérir de nombreuses terres, s'il le voulait, mais c'est un homme discret. Il se contente de son modeste château et de quelques biens. En vérité, peu de gens s'en rendent compte, mais Crispin est à la tête d'une fortune considérable, qui permettrait d'entretenir une armée de mercenaires si nécessaire.

Il n'en fallut pas davantage au roi.

— Si ces deux familles s'unissent, elles seraient plus puissantes que Pembroke et Chester.

Il s'abstint d'ajouter qu'elles seraient encore plus puissantes que lui-même. Tant de barons rejetaient ses demandes de soutien, quand ils ne se rebellaient pas franchement contre lui.

— Votre majesté entrevoit à présent la nécessité d'empêcher ce mariage ? hasarda Walter.

— Guy de Thorpe ne m'a jamais refusé son aide, il a soutenu toutes mes guerres, envoyant même son fils ainsi qu'une importante armée de chevaliers au combat. Ce Nigel Crispin, dépourvu de terres, va désormais devoir verser des impôts en conséquence. Si j'interdisais ce mariage, nos deux *amis* – il prit un ton de mépris – auraient malgré tout une raison de s'allier, mais contre moi, cette fois.

— Et si un événement ou une autre personne que Votre Majesté empêchait ce mariage ? fit Walter d'un ton rusé.

Le roi éclata de rire, suscitant la curiosité de sa femme.

— Je n'en éprouverais pas le moindre remords !

Walter afficha un sourire serein, car il venait d'obtenir le résultat escompté.

— Il serait encore plus intéressant, sire, que, lorsque Shefford cherchera une autre fiancée, vous lui suggériez une personne possédant en dot des terres outre-Manche.

Tout le monde sait qu'il fournit des chevaliers pour vos guerres en Angleterre et au pays de Galles. S'il ne donne rien pour vos guerres en France, c'est qu'il n'y possède aucun bien. Si la femme de son fils avait des terres, disons, dans la Marche, il trouverait alors un intérêt personnel à ce que le comte de la Marche cesse de vous importuner. Trois cents chevaliers valent mieux que les mille mercenaires que Votre Majesté obtiendrait pour le même prix.

Jean sourit car Walter avait raison. Les trois cents chevaliers de Shefford pouvaient se révéler d'une grande importance.

— J'imagine que vous avez une fille dotée de terres dans la Marche ? s'enquit le roi.

— En effet, sire.

— Dans ce cas, je ne vois aucune raison de ne pas la recommander, du moins si Shefford cherche une nouvelle fiancée à son fils.

Ce n'était pas tout à fait un engagement, mais à quoi bon en attendre un, le roi Jean n'ayant pas la réputation de tenir ses promesses. Walter était néanmoins satisfait de cette entrevue fructueuse.

# 2

— Père, vous connaissez fort bien mon sentiment sur la question, déclara Tristan de Thorpe. Je pourrais vous citer une kyrielle de jeunes héritières qui me conviendraient bien mieux. Il y en a même certaines que j'épouserais avec un certain plaisir. Pourtant, vous m'avez fiancé à la fille de votre ami Crispin qui ne nous apporte en dot qu'une somme modeste dont nous n'avons nul besoin.

Guy de Thorpe dévisagea le jeune homme et poussa un soupir. Tristan était né après de longues années de mariage, alors qu'il désespérait d'avoir un descendant de sexe masculin. À l'époque, ses deux filles aînées étaient déjà mariées. Il avait même des petits-enfants plus âgés que Tristan. Ce fils unique, du moins son seul fils légitime, faisait son bonheur et sa fierté, malgré un caractère entêté et une tendance à contester les ordres de son père.

Comme lui, Tristan était un homme imposant et musclé, au corps sculpté par les combats sur les champs de bataille du royaume. Ils tenaient leurs cheveux noirs et bouclés et leurs yeux bleus du père de Guy. Tristan avait toutefois les yeux d'un bleu plus foncé et la chevelure de Guy était à présent parsemée de gris. De sa mère Anne,

Tristan avait hérité son menton volontaire, son nez droit et aristocratique. Néanmoins, Tristan ressemblait étonnamment à son père et bien des dames le trouvaient à leur goût.

— Est-ce pour fuir tes engagements de fiancé que tu ne cherches qu'à guerroyer depuis que cette jeune fille est en âge de se marier, Tristan ? J'ai remarqué que tu faisais tout pour éviter ce mariage !

Le jeune homme rougit face à la perspicacité de son père. Mais il nia farouchement :

— La seule fois où je l'ai rencontrée, elle a lâché son faucon sur moi. J'en garde d'ailleurs une cicatrice. C'est une véritable furie, vous pouvez me croire.

— Voilà donc la raison pour laquelle tu as toujours refusé de m'accompagner au château de Dunburgh ! s'exclama Guy, incrédule. Seigneur, ce n'était qu'une enfant, à l'époque. Pourquoi nourrir une telle rancune à l'égard d'une fillette ?

Tristan sentit ses joues s'empourprer de colère au souvenir de cette mésaventure.

— Je vous le répète, c'était une vraie mégère, père. En vérité, elle s'habillait et se comportait comme un garçon. Arrogante, grossière, se rebellant contre quiconque la contrariait, quels que soient leur rang ou leur âge... Mais ce n'est pas la seule raison de mon refus. Je préfère épouser Agnes d'York.

— Pourquoi ?

— Pourquoi ? répéta Tristan, hésitant à répondre.

— Oui, pourquoi ? Serais-tu amoureux d'elle ?

— J'aimerais l'avoir dans mon lit, c'est certain. Quant à l'aimer ? Non, assurément pas.

Guy se mit à rire, soulagé.

— Le plaisir de la chair n'est pas un mauvais sentiment. C'est même une activité très saine, quoi qu'en disent les prêtres et les croyants. Un homme qui parvient à trouver le plaisir charnel dans le mariage a beaucoup de chance, surtout s'il connaît aussi l'amour. Mais tu sais aussi bien que moi que le mariage n'implique ni désir charnel ni amour.

— Dans ce cas, je dois être différent des autres. Je préfère désirer ma femme plutôt que de me rabattre sur les servantes et autres catins, insista Tristan.

Ce fut au tour de Guy de rougir. Tout le monde savait qu'il n'éprouvait guère d'amour pour lady Anne, sa femme. Cependant, il avait beaucoup d'affection pour elle et respectait sa dignité. Aussi mettait-il un point d'honneur à trouver ses maîtresses en dehors du domaine. Au contraire de son ami Nigel Crispin, qui avait chéri son épouse et qui pleurait toujours sa perte, Guy de Thorpe n'avait jamais été amoureux et ne s'en plaignait guère. Au fil des ans, son goût de la chair lui avait fait faire de nombreuses conquêtes. Si Anne n'en avait pas entendu parler, son fils, lui, n'ignorait rien des frasques de son père.

Pourtant, le regard de Tristan n'était pas réprobateur. Lui-même fréquentait volontiers le lit des femmes depuis son adolescence. Aussi Guy jugea-t-il bon de ne pas lui expliquer comment satisfaire ses instincts, que ce soit dans les bras de sa femme ou ailleurs.

— Pas question de mettre notre famille dans l'embarras en demandant l'annulation des fiançailles, reprit-il. N'oublie pas que Nigel Crispin est mon meilleur ami. Autrefois, il m'a même sauvé la vie. Mon destrier s'était écroulé sur moi. Je me suis retrouvé pris au piège sous son énorme carcasse, à deux doigts d'être décapité par un cimeterre sarrasin. J'avoue que je lui dois une fière chandelle. Il a alors refusé tout témoignage de gratitude de ma part. Ainsi, le jour où il a eu des filles, je lui ai proposé ce que j'avais de plus précieux : toi, mon fils. L'union de nos deux familles passe au second plan. À l'époque, il n'était pas en mesure d'assurer une belle dot à ses enfants.

— À l'époque ? Voulez-vous dire qu'il est riche, à présent ? fit Tristan d'un ton narquois.

Guy poussa un soupir.

— Si le roi n'exigeait que les quarante jours de service qui lui sont dus, ce ne serait pas grave. Mais il en demande davantage. Tu rentres à peine du combat et tu parles déjà de traverser la Manche pour mener la prochaine campagne du roi. Eh bien, c'en est assez, Tristan ! Nous ne pouvons continuer à entretenir à la fois nos gens et l'armée du roi.

— Vous ne m'aviez jamais révélé que nous étions dans la gêne, répondit Tristan d'un ton accusateur.

— Je ne voulais pas t'inquiéter tandis que tu livrais bataille pour le roi. De plus, notre situation est difficile, mais pas désespérée. Au cours des dix dernières années, nos réserves se sont épuisées. La visite du roi suivi de sa Cour, l'an dernier, nous a coûté cher, comme toujours lorsque Sa Majesté se déplace. Les campagnes du pays de Galles furent encore plus dévastatrices. Il n'y avait pas une ferme aux alentours pour nourrir les hommes, et avec les Gallois en embuscade dans les collines…

Guy n'en dit pas plus. Tristan songeait lui aussi à ces batailles contre les redoutables Gallois, qui préféraient ne pas affronter une armée franchement. Tristan avait perdu de nombreux hommes lors de telles embuscades.

— Bref, la dot de ta femme…

— Elle n'est pas encore ma femme ! coupa Tristan, plus entêté que jamais.

Guy continua sans tenir compte de ses protestations, en insistant tout de même sur le mot épouse.

— Ton *épouse* a pour dot les biens dont nous manquons cruellement en ce moment. De plus, nous avons des alliés de poids. Tes cinq sœurs sont fort bien mariées. Quand tu seras marié, toi aussi, nous pourrons acquérir d'autres biens, au besoin, ériger des châteaux, faire des travaux… Seigneur, elle possède une fortune non négligeable.

Guy but une longue gorgée de vin avant de passer au plus important :

— De plus, tu la fais patienter depuis si longtemps qu'il serait impoli de la repousser maintenant. À cause de tes manœuvres, elle a dépassé de loin l'âge de se marier. Cela suffit. Cette fois, tu vas aller la chercher, un point c'est tout. Tu partiras pour Dunburgh dans la semaine.

— C'est un ordre ? s'enquit Tristan.

— S'il le faut, oui. Il est trop tard pour rompre ce contrat. Ta fiancée a aujourd'hui dix-huit ans. Voudrais-tu que la honte rejaillisse sur notre famille ?

Furieux, Tristan ne put que répondre :

— C'est bon, j'irai la chercher. Je l'épouserai même, puisqu'il le faut. Mais je ne garantis pas que je vivrai avec elle.

Sur ces mots, il prit congé. Guy le regarda s'éloigner, puis se tourna vers la grande cheminée. Il avait attendu qu'Anne et ses dames de compagnie aient quitté la pièce pour convoquer son fils. Peut-être aurait-il été plus avisé de s'assurer le soutien de son épouse ?

Tristan ne se disputait jamais avec sa mère. En fait, il semblait même accéder de bon cœur à ses demandes, car il l'aimait tendrement. Or, Anne tenait encore plus que son époux à ce mariage. C'était elle qui l'avait poussé à parler à Tristan avant qu'il ne reparte au combat, désireuse sans doute de remplir ses propres coffres. Au moins, Anne aurait pu convaincre son fils sans provoquer chez lui cette réaction hostile.

Guy soupira encore, se demandant s'il ne rendait pas un mauvais service à la fille de Nigel en forçant son fils à l'épouser.

# 3

Dunburgh était à un jour et demi de Shefford. Une vingtaine d'hommes armés et de chevaliers accompagnaient Tristan en prévision du retour : ils auraient à escorter une dame et sa suite. Or, de nombreux brigands battaient la campagne dans le royaume de Jean.

Certains barons bannis par le roi sillonnaient les routes, attaquant quiconque avait encore les faveurs du souverain. Sans l'insistance de son père, Tristan aurait de toute manière pris moult précautions. Il ne voulait pas que Guy le tienne pour responsable s'il arrivait malheur à sa fiancée, même si cette perspective ne le chagrinait pas outre mesure.

Sa fiancée... Cette simple pensée réveilla sa rage au point qu'il ne put réprimer un grognement de frustration. Son demi-frère le dévisagea, étonné.

En ce deuxième jour de trajet, ils venaient de lever le camp et avançaient à un rythme soutenu. Tristan préférait camper au bord des chemins de peur de ne pouvoir trouver un toit pour tant d'hommes. Quoi qu'il en soit, il n'aurait guère le choix au retour, car *elle* exigerait de dormir dans un lit.

— Tu ne t'es donc pas fait une raison ? s'enquit Bertrand, tandis qu'ils chevauchaient côte à côte.

— Non. Je ne m'y ferai jamais, avoua Tristan. Je me sens pris au piège. C'est très désagréable.

— Parce que c'est notre père qui a négocié le contrat, et non le sien ? fit Bertrand d'un ton narquois. S'il en avait été autrement, je te comprendrais. Mais là...

— Assez ! Je n'ai plus envie d'en parler.

— Autant cracher ton venin tout de suite. Ensuite, c'est à elle que tu auras affaire, prévint Bertrand. Pourquoi es-tu si fâché ?

Tristan poussa un soupir.

— C'était une enfant insupportable. J'espère qu'elle aura changé en grandissant. La perspective de détester mon épouse ne me réjouit guère.

— Tu ne serais pas le premier mari dans ce cas, commenta Bertrand en souriant. Si tu cherches un mariage d'amour, va faire un tour chez les vilains, qui choisissent leurs conjoints. Les nobles n'ont pas ce luxe.

Sentant l'humeur taquine de son demi-frère, Tristan fit mine de le frapper. Le jeune homme esquiva le coup en riant de bon cœur.

— Inutile de me rappeler que tu as choisi ta femme et que tu l'aimes tendrement ! railla Tristan. Pourtant, tu n'es pas un vilain, ajouta-t-il d'un ton las.

Bertrand adressa un sourire complice à son frère. Nul n'évoquait la noblesse du jeune homme avec autant de sincérité que Tristan. Pourtant, la mère de Bertrand était vilaine, de sorte que le jeune homme n'était accepté ni chez les uns, ni chez les autres. Toutefois, Bertrand avait eu plus de chance que la plupart des bâtards, car Guy de Thorpe l'avait reconnu. Il avait même assuré son éducation et fait de lui un chevalier doté d'un modeste patrimoine.

Grâce à cette position enviable, Bertrand avait pu épouser la jeune fille de son choix, Éloise, la fille de sir Richard. Chevalier sans terres vivant chez Guy de Thorpe, sir Richard n'avait aucune chance de trouver un riche mari pour son enfant unique. Il s'était donc réjoui de l'intérêt sincère que Bertrand portait à Éloise. En vérité, Bertrand n'enviait guère son frère d'être l'héritier légitime du comte de Shefford. Auprès de sa tendre épouse, il menait une vie simple et s'en contentait. L'existence de Tristan se révélait par trop compliquée.

— Cela fait combien de temps que tu ne l'as pas vue ? demanda Bertrand.

— Une douzaine d'années.

Bertrand leva les yeux au ciel.

— Seigneur ! Comment peux-tu croire qu'elle n'a pas changé ? Son père a dû lui donner l'éducation qui sied à une jeune fille de son rang. Elle va implorer ton pardon pour t'avoir contrarié. D'ailleurs, que t'a-t-elle fait de si terrible ?

— Elle avait six ans, moi treize. Je savais fort bien ce qu'elle représentait pour moi, contrairement à elle. En la cherchant pour me présenter à elle, je l'ai trouvée dans les écuries avec deux jeunes garçons de son âge. Elle leur montrait un énorme faucon en déclarant qu'il lui appartenait. L'oiseau était posé sur son bras. Il était presque aussi gros qu'elle.

Les images lui revenaient clairement au fil du récit. La petite fille était sale et avait le visage tout crotté, comme si elle s'était traînée dans la boue. Malgré sa petite taille, elle avait déjà de longues jambes. De plus, elle était vêtue comme les deux garçons qui l'accompagnaient, arborant une tunique en toile épaisse et des chausses de cuir.

Tristan avait d'abord eu du mal à reconnaître la fillette. Les domestiques l'avaient prévenu de son accoutrement de garçon de ferme. Les gens de Dunburgh s'amusaient beaucoup de voir la fille du seigneur ainsi déguisée.

Certes, bien des vilains habillaient leurs filles en garçon quand ils n'avaient pas les moyens d'acheter des vêtements féminins. Mais une enfant de son rang ? Elle préférait se promener ainsi, ses longs cheveux châtains tirés en arrière. Aussi était-il difficile de ne pas la prendre pour un garçon.

Ce n'est que lorsque l'un des enfants avait prononcé le nom de la fillette que Tristan avait remarqué le rapace. Il n'était même pas chaperonné. Son premier instinct avait été de protéger l'enfant. Elle ne pouvait être consciente du danger et était bien trop petite pour approcher ces oiseaux féroces. Elle avait dû profiter de l'absence du fauconnier pour s'emparer de l'oiseau.

— Il est à moi, maintenant, avait-elle expliqué à ses jeunes camarades. Il n'accepte sa nourriture que de moi.

À elle ? Tristan n'avait pu réprimer un grommellement perplexe. Ce qui avait attiré l'attention de la petite. Elle était trop jeune pour comprendre qu'il venait de la traiter de menteuse sans le dire ouvertement.

— Qui êtes-vous ? avait-elle demandé.

— Je suis l'homme que vous épouserez quand vous en aurez l'âge.

Étrangement, elle s'était offusquée de ses paroles, qui ne traduisaient pourtant que la vérité. Ses yeux verts l'avaient foudroyé, exprimant une telle rage que Tristan en avait été impressionné.

— Elle m'a traité de menteur, raconta-t-il à son frère, avant de m'agonir d'insultes. Ensuite, elle m'a ordonné, je dis bien *ordonné*, de disparaître de sa vue.

Bertrand ne parvint pas à cacher son amusement.

— Une enfant de six ans ?

— Une diablesse, oui ! Voyant que je ne partais pas, car je n'en croyais pas mes oreilles, elle a plissé les yeux. Alors, d'un léger mouvement du bras, elle a envoyé son faucon droit sur moi. J'ai levé la main pour me protéger. Erreur grossière. Cette sale bête m'a planté son bec dans la phalange, refusant de lâcher prise.

Bertrand émit un sifflement.

— Tu as de la chance de n'avoir pas perdu ton doigt.

— Il m'a arraché un lambeau de chair, et j'en garde une cicatrice. J'ai fini par me libérer en projetant le rapace contre le mur. J'ignore si j'ai tué l'oiseau, mais la petite garce a dû le croire car elle s'est jetée sur moi et a commencé à me marteler de ses poings. Comme tu le sais, j'étais grand pour mon âge et elle m'arrivait à peine à la taille. Pourtant, elle m'a mordu. Le temps que je m'en remette, et elle m'assenait un coup dans la partie la plus sensible de mon individu. Je suis tombé à genoux, fou de douleur.

Bertrand sourit.

— Ce n'était pas un coup fatal, si j'en crois le nombre de tes conquêtes féminines.

— Tu n'es pas drôle ! protesta Tristan, ulcéré. Je souffrais le martyre et ma chère fiancée continuait à me frapper à la tête. Elle aurait pu me crever un œil, la diablesse ! J'avais le visage couvert de plaies.

La réalité avait été bien pire, mais Tristan refusait de l'admettre. Paralysé de douleur, il saignait abondamment, maculant de sang ses vêtements et ceux de l'enfant. Elle était si hargneuse qu'il ne parvenait pas à la saisir par les poignets pour l'immobiliser.

Il aurait dû lui infliger la correction qu'elle méritait, mais il n'avait jamais frappé un enfant, encore moins une fillette. En cherchant à l'épargner, il n'encaissait que davantage de coups. Il était parvenu toutefois à l'écarter et à se relever. Puis, en un clin d'œil, il avait pris ses jambes à son cou.

Par chance, il ne l'avait plus jamais revue, l'évitant comme la peste. Cachant ses blessures à son père, il avait trouvé une excuse pour retourner au plus vite chez lord Edward, qui l'éduquait depuis l'âge de sept ans. C'est chez lui qu'il s'était lié avec son demi-frère, Bertrand, qui avait le même précepteur. Tristan s'était arrangé pour être absent du château chaque fois que Nigel Crispin venait en visite avec sa famille et il n'accompagnait plus jamais son père à Dunburgh.

— Il faut te dire qu'elle a changé, insista Bertrand. Elle a dû recevoir une éducation digne d'une jeune fille.

— Tu as raison. Elle ne risque pas de se jeter sur moi. Mais comment empêcher une sorcière d'obéir à ses instincts quand ils sont profondément ancrés en elle ?

— Il suffit peut-être d'un peu de douceur, de ne pas lui donner de raisons de se comporter en mégère, hasarda Bertrand.

— Je ne voulais pas me charger de l'apprivoiser, répliqua Tristan. J'espérais que quelqu'un l'aurait fait. J'en doute. Elle aura l'apparence d'une demoiselle de son rang. Mais une diablesse déguisée en jeune fille convenable est pire que tout. Dès qu'elle plissera ses yeux de chat...

— Que feras-tu ? demanda Bertrand.

— Je me le demande, avoua Tristan, pensif.

# 4

— Si mes souvenirs sont exacts, nous devrions arriver au château de Dunburgh d'ici une heure, annonça Tristan en scrutant l'horizon. Il se dresse juste après cette colline. En fait, en coupant par les bois, nous gagnerons du temps, car la route décrit une courbe avant de revenir vers Dunburgh.

Un chemin bien tracé coupait à travers bois : d'autres voyageurs connaissaient manifestement le raccourci. À cette époque de l'année, les arbres étaient nus. Les branches ne risquaient pas de leur barrer la route. On apercevait même une prairie, à la sortie du bosquet, puis un village.

— Tu évites ces lieux pendant douze ans et voilà que tu sembles impatient d'y arriver, railla Bertrand.

— J'ai envie d'un bon feu de cheminée, rétorqua Tristan en lui décochant un regard noir.

Bertrand n'y prêta aucune attention car il ne pouvait que partager son avis. Le ciel était dégagé, mais le temps s'était rafraîchi dans la matinée. Les hommes commençaient à souffrir du froid.

— Et si nous restions sur la route pour faire la course sur ce dernier tronçon, histoire de nous réchauffer un peu ? suggéra Bertrand.

Tristan écarquilla les yeux.

— Le meilleur moyen de se voir refuser l'entrée dans un château est de se précipiter dans sa direction alors que les gardes ignorent à qui ils ont affaire. Nous ne verrions pas un bon feu de sitôt, crois-moi. Non, nous couperons par les bois et arriverons par-derrière, en passant par le village.

Sans attendre la réponse de Bertrand, il s'engagea sur le chemin. Le convoi déboucha vite dans la prairie, puis contourna le village pour ne pas affoler serfs et vilains. En vérité, ils n'étaient pas nombreux à s'attarder dehors par ce froid. De plus, la saison ne se prêtait pas aux travaux des champs.

Le château était encore à quelque distance, mais ses tourelles surgissaient au-dessus des cimes. De nombreux pins se dressaient sur le sentier et dissimulaient en partie l'édifice.

À mi-chemin, ils entendirent un entrechoquement d'épées. Ce bruit familier fit naître un sourire sur les lèvres de Tristan. Redoutable guerrier, il avait passé la majeure partie de sa vie à se battre et excellait dans le maniement du glaive. Bertrand partageait ce goût pour les armes. Ils échangèrent un regard complice et éperonnèrent leurs montures pour franchir le dernier virage.

Ils crurent d'abord à un simple entraînement de chevaliers, mais ils comprirent vite que c'était une véritable bagarre.

Quatre hommes étaient à cheval, les autres combattants, dont une femme, étaient à pied. Comme ils portaient tous d'épaisses capes d'hiver, il était difficile de distinguer les gens de Dunburgh de leurs assaillants. Tristan ne pouvait se permettre de charger sans savoir qui il défendait.

Il fit arrêter le convoi et il s'avança en criant :

— Qui va là ? On a besoin d'aide ?

Tristan dut s'y reprendre à deux fois tant le fracas des lames couvrait sa voix. Son second cri retint l'attention de tous. L'espace d'un instant, un silence absolu s'installa, tandis que les combattants dévisageaient les nouveaux arrivants.

Très vite les quatre cavaliers s'enfuirent dans les bois sans demander leur reste. La femme s'avança pour saluer Tristan d'une révérence.

Sa cape s'entrouvrit sur un élégant bliaud de velours. Une jeune fille honnête et ravissante, songea Tristan. Son visage de porcelaine commençait à reprendre des couleurs après la frayeur qu'elle venait d'avoir. Sa coiffe de travers révélait des cheveux châtains. Lorsqu'elle leva les yeux vers lui, Tristan découvrit un regard vert intense, telles deux émeraudes...

Des yeux verts ? Seigneur, serait-ce sa fiancée qui lui témoignait poliment sa reconnaissance ? Non, il ne pouvait avoir cette chance. Elle ne pouvait avoir changé à ce point, s'être transformée en une jeune fille aussi exquise.

Même sa voix lui parut d'une grande douceur quand elle déclara :

— Vous arrivez à point nommé, mon seigneur. J'appré...

Elle ne put poursuivre car un jeune garçon l'écarta sans ménagements avant de fusiller Tristan du regard en criant :

— Ne restez donc pas planté là comme un sot ! Poursuivez-les ! Il faut les capturer ! Tous ces soi-disant chevaliers ne sont que des incompétents. Ils proposent leur assistance, mais ne la donnent jamais.

Tristan se raidit. Jamais il n'avait subi une telle offense. Cet insolent, qui ne pouvait avoir plus de quatorze ans, était vêtu comme un serf. Tristan remonta en selle et éperonna sa monture. Le garçon n'eut pas l'intelligence de s'enfuir. Il attendit, sans bouger, défiant Tristan. Celui-ci admirait la bravoure, mais pas la bêtise. Ce garçon devait être idiot pour s'adresser sur ce ton à un chevalier. Ce fut ce qui le retint de le corriger. Dans sa noblesse, il ne frappait ni les enfants, ni les femmes, ni les demeurés.

— Tu aurais peut-être préféré te débrouiller sans nous et perdre la bataille ? rétorqua-t-il d'un ton posé. Je les ai mis en déroute.

— Et vous les avez laissés filer ! répliqua le garçon.

— Je n'ai pas pour rôle de pourchasser les brigands. Quant à toi, un mot de plus, et je te fais couper la langue !

La jeune fille vint se placer devant son compagnon et tendit la main vers Tristan.

— Je vous en conjure ! Assez de violence.

L'insolent devait être son serviteur car elle voulait le protéger. Tristan était tellement subjugué par la beauté de sa fiancée qu'il lui aurait tout accordé.

— Comme vous voudrez, demoiselle. Puis-je vous raccompagner à Dunburgh ? C'est là que je me rends.

Elle hocha timidement la tête.

— Vous allez voir mon père ?

Tristan lui adressa un sourire radieux. Elle venait de lui confirmer qu'elle était bien sa promise.

Avec précaution, il la fit monter en selle, devant lui. Elle était légère comme une plume et embaumait la rose. Tristan ne se sentait plus de joie.

— Je suis en effet venu voir lord Nigel, et vous également, répondit-il.

— Moi ? s'enquit-elle en écarquillant les yeux de surprise.

— J'aurais peut-être dû me présenter. Tristan de Thorpe. Enchanté de vous revoir, ma chère.

Parmi les personnes encore présentes, quelqu'un émit une exclamation de surprise. En cherchant des yeux qui pouvait être contrarié d'apprendre son identité, Tristan ne vit que l'insolent qui s'enfuyait en direction du château.

Il fronça les sourcils, se promettant d'en toucher deux mots à lord Nigel. Ce manant méritait un sermon, voire une bastonnade.

— Mais nous ne nous sommes jamais rencontrés, déclara la jeune fille.

Tristan sourit. Par chance, sa fiancée ne se rappelait pas leur entrevue malheureuse d'autrefois. Il ne cherchait d'ailleurs qu'à effacer ce mauvais souvenir, alors autant ne pas le raviver.

— Veuillez excuser ma méprise, déclara-t-il. Qu'importe, je suis tout aussi ravi. Je suis certain que vous avez hâte de relater votre mésaventure à votre père, alors mettons-nous en route au plus vite.

Ils ne mirent que quelques minutes à gagner la demeure familiale. Ni les villageois ni les occupants du château n'avaient encore eu vent de l'embuscade. Les brigands avaient-ils choisi le lieu de leur crime dans ce but ? C'était probable. Tristan regrettait à présent de ne pas avoir lancé ses hommes à la poursuite de ces mécréants. Après tout, ils avaient agressé sa fiancée, même si Tristan ne s'en était pas rendu compte tout de suite. Or, nul ne s'attaquait aux biens de Tristan sans en subir de lourdes conséquences.

Dès qu'ils atteignirent l'enceinte du château, la jeune fille s'excusa et se précipita vers le donjon, laissant Tristan organiser avec le sénéchal de Nigel l'hébergement de ses hommes. Désireux d'aider son hôte à capturer les agresseurs de sa fille, il envoya tout de même quelques hommes en quête de traces éventuelles.

Dunburgh ne correspondait guère à l'image qu'il en gardait dans ses souvenirs. Le château s'était agrandi. Il était même somptueux pour un baron de second ordre tel que Nigel Crispin. En réalité, celui-ci possédait une fortune considérable, il était même plus riche que certains comtes très puissants du royaume.

Un épais mur d'enceinte assurait désormais la protection de l'édifice, doublant la superficie du château. Toutefois, l'ancienne courtine était toujours debout. De nombreux bâtiments récents se dressaient entre les deux. Il y avait assez de place pour loger une armée et de vastes cours pour l'entraînement des soldats, dont un champ d'entraînement au tir à l'arc.

Tristan entra dans le donjon, impatient de rejoindre sa fiancée pour faire plus ample connaissance. Quelle chance que sa promise ait changé à ce point ! Elle s'était métamorphosée en une vraie jeune fille. Jamais il n'aurait osé imaginer épouse aussi parfaite : douce, timide, jolie...

Elle était plus jolie qu'Agnes d'York, avec son teint d'ivoire, ses traits délicats et volontaires. Certes, elle n'éveillait pas en lui le même désir charnel, mais cela viendrait. Sa surprise et son plaisir étaient déjà bien assez grands.

L'escalier intérieur menant à la grande salle était éclairé de torches. Le donjon contenait aussi une chapelle, accessible par un perron de pierre. Une autre volée de marches menait au quatrième étage du bâtiment.

Dans sa hâte, Tristan faillit heurter une silhouette menue qui sortait de la chapelle. Il ne mit qu'un instant à l'identifier. Sa colère monta aussitôt. Ce jeune serf n'avait peut-être pas toute sa tête – une telle insolence ne pouvait s'expliquer autrement –, mais il méritait une punition.

— Alors, tu viens prier pour implorer miséricorde, après tes paroles malheureuses ? railla-t-il, espérant que le jeune garçon reconnaîtrait sa faute et que, redoutant les conséquences de son acte, il se conduirait bien à l'avenir.

Au contraire, le garçon lui tint tête :

— Je priais pour que vous partiez, lord Tristan, mais mes prières ne sont jamais exaucées.

C'en était trop. Ce serf méritait d'être mis aux arrêts pour sa conduite. Tristan esquissa un geste, mais l'enfant s'éloignait déjà vers la grande salle, manifestement habitué à exprimer ses pensées en toute liberté.

Furieux, Tristan se lança à sa poursuite, bien décidé à le courser jusqu'aux cuisines s'il le fallait. Toutefois, les convives rassemblés dans la grande salle remarquèrent son entrée. Nigel l'interpella, l'obligeant à reporter son attention sur son hôte.

En apercevant sa fiancée, au côté de son père, Tristan sentit toute sa colère s'envoler. Il les rejoignit au coin du feu. La richesse de Nigel lui avait permis de réaliser de nombreux aménagements. Tristan découvrit non seulement le fauteuil du seigneur, mais aussi quatre autres, drapés de fourrure, une table sculptée, sur laquelle était posé un plateau de boissons. De nombreux sièges étaient disposés dans la pièce, montrant qu'elle était souvent fréquentée.

Une flambée crépitait doucement, conférant une atmosphère chaleureuse à la pièce. Les fenêtres étaient ornées de vitraux coûteux. De superbes tapisseries couvraient les murs de pierre.

C'était une grande salle, destinée à recevoir tous les occupants du château, mais bien plus confortable et luxueuse que la plupart des pièces que l'on trouvait dans d'autres châteaux. Le roi Jean lui-même aurait envié cette opulence. Tristan se demanda si Jean était déjà venu en visite à Shefford. Certainement pas, sinon il aurait inventé quelque raison de confisquer ces biens.

Tristan était contrarié de servir un roi qu'il n'appréciait pas du tout. Il partageait d'ailleurs le sentiment des autres nobles du royaume. Jean sans Terre avait peu d'amis et de nombreux ennemis. Cependant, il n'en était pas moins roi et les hommes d'honneur lui devaient fidélité. Jusqu'à ce qu'ils ne puissent en tolérer davantage.

Ravi de l'arrivée du jeune homme, Nigel Crispin l'invita à s'approcher de la cheminée. Il le salua avec effusion.

— Quel bonheur de vous voir enfin, Tristan, pour célébrer l'union de nos deux familles ! Votre père m'a averti de votre venue, mais nous ne vous attendions pas si tôt. Sinon j'aurais ordonné à ma fille de se préparer à vous recevoir. Mais je vois que vous vous êtes déjà rencontrés.

— En effet, nous nous sommes croisés tout à l'heure, mon seigneur, répondit-il sans quitter la jeune fille des yeux. Mais nous n'avons pas été officiellement présentés.

— Je ne suis pas votre fiancée, lord Tristan.

Elle rougit, gênée de ne pas l'avoir dit plus tôt, quand elle en avait eu l'occasion. Par timidité, elle s'était tue, de crainte de le contrarier. À ses yeux, il était par trop imposant et ses colères devaient être redoutables.

À présent, Tristan était déconcerté, et la jeune fille s'en voulait amèrement.

— Je suis sa sœur, Jeanne.

Lord Nigel semblait étonné, lui aussi.

— Vous avez vu Clothilde, n'est-ce pas ? interrogea-t-il. Elle vient d'entrer, juste avant vous.

Tristan se tourna vers la porte. Il était arrivé avec ce serf... Seigneur ! Ce ne pouvait être elle ! Ainsi, elle n'avait pas changé au cours des années. Il se retrouvait avec une diablesse, comme il le craignait...

# 5

— Jeanne, va chercher ta sœur et surtout fais en sorte qu'elle soit vêtue correctement, pour une fois.

Nigel s'adressait à celle que Tristan avait prise pour sa promise. *Pour une fois ?* Suggérait-il que cette mégère ne s'habillait jamais comme une jeune fille et ne se comportait pas comme telle non plus ?

Tristan dut se retenir pour ne pas insulter le meilleur ami de son père. Cette créature qu'il était forcé d'épouser n'avait rien d'une femme. Comment un honnête seigneur, vaillant guerrier, avait-il pu laisser sa fille aînée, son héritière, se transformer en sauvageonne ?

Pendant qu'ils patientaient, Nigel tenta de distraire le jeune homme en lui racontant ses batailles livrées au côté du roi Richard. Jadis, il était parti en croisade avec le père de Tristan, laissant son épouse en Angleterre. Le couple n'avait eu une descendance qu'après son retour.

Tristan se rappelait à présent l'existence d'une seconde fille. Il savait aussi que la femme de Nigel était morte peu après la naissance de Jeanne. Ce n'était pas une excuse valable pour transformer cette enfant en garçon manqué. Bien des mères mouraient en couches, ce qui n'empêchait pas leurs filles d'être parfaitement éduquées.

L'attente se prolongeait et un silence gêné s'installa entre les deux hommes, simplement troublé par le bruit des serviteurs qui s'affairaient à la préparation du souper.

Nigel poussa un soupir et déclara :

— Je devrais peut-être vous fournir quelques explications concernant Clothilde. J'avoue qu'elle ne correspond guère à l'idée que l'on se fait d'une jeune fille de son âge.

C'était le moins que l'on puisse dire, songea amèrement Tristan qui répondit :

— J'avais remarqué.

Cette réplique fit apparaître une moue contrariée sur le visage de Nigel.

— J'ignore pourquoi, mais Clothilde a toujours souhaité devenir le fils que je n'ai pas eu. Bien qu'elle soit mon héritière, elle continue à se comporter comme un garçon. Elle est folle de rage de ne pas avoir la force d'un homme car son rêve le plus cher est de devenir chevalier. Alors elle se contente des activités masculines qui sont à sa portée.

— Lesquelles, par exemple ? s'enquit Tristan, redoutant le pire.

— Elle chasse, mais pas comme une dame. Je dois admettre qu'elle excelle au tir à l'arc. Je ne connais pas un homme qui soit plus habile qu'elle. Clothilde serait capable d'assurer seule la défense de Dunburgh, s'il le fallait. En outre, elle épargne certaines espèces animales qui, selon elle, ne devraient pas être chassées. En fait, elle entretient des rapports très privilégiés avec les bêtes. Depuis sa petite enfance, elle a le don d'apprivoiser les plus sauvages.

Tristan songea que le faucon appartenait donc réellement à la petite fille de six ans qu'il avait rencontrée autrefois. Elle avait dû le dresser elle-même.

— Son penchant pour les activités masculines signi-fie-t-il qu'elle repousse tout ce qui touche au domaine traditionnel de la femme ? s'enquit-il.

— Elle refuse d'en entendre parler, répondit Nigel avec un soupir résigné. Vous avez certainement remar-qué son accoutrement. Malgré mes efforts, elle n'a jamais accepté de porter des vêtements dignes de son rang. Quand je lui fais tailler des toilettes sur mesure, elle les échange contre les hardes des serfs, qu'elle pré-fère. Je les lui confisque, mais elle en trouve d'autres qu'elle échange contre de la viande fraîche.

Tristan n'osa pas demander à Nigel pourquoi il ne se faisait pas respecter de Clothilde qui n'hésitait pas à lui désobéir.

— Se rend-elle compte qu'elle est complètement ridi-cule, ainsi déguisée ? interrogea Tristan, curieux de tout savoir sur cette étrange jeune fille.

— Vous croyez qu'elle s'en soucie ? Elle se moque de son apparence. Elle n'a pas la vanité naturelle à toute femme.

Ce fut au tour de Tristan de soupirer. Il ne put s'empê-cher de demander :

— Comment la situation a-t-elle pu en arriver là ? Pourquoi ne l'a-t-on jamais remise de force dans le droit chemin ?

Comme Tristan s'y attendait, cette question embar-rassa lord Nigel.

— C'est ma faute, vous vous en doutez. Ma seule excuse est de m'en être rendu compte trop tard. À la mort de ma femme, j'ai perdu la raison. Je me suis replié sur moi-même. Vous ne pouvez pas comprendre à quel point j'ai été déchiré par ce chagrin. Je garde peu de sou-venirs des quelques années ayant suivi ce décès.

— Mon père m'a dit que vous aimiez tendrement votre épouse, déclara Tristan.

Nigel semblait plongé dans un passé douloureux.

— Oui, je l'aimais. À l'époque, mon frère Albert vivait chez nous. Je lui ai confié l'éducation de mes filles. Mais il était veuf, lui aussi, et il trouvait les caprices de Clothilde amusants. Il n'a jamais tenté d'y remédier.

— Vous étiez là…

— Certes, mais je ne dessoûlais pas de la journée, avoua Nigel. Mes filles prenaient un malin plaisir à se faire passer l'une pour l'autre. En voyant Jeanne, je croyais avoir affaire à Clothilde et inversement. Ensuite, il était trop tard. Lorsque je l'ai enfin vue sous son vrai jour, Clothilde refusait d'être remise sur le droit chemin.

— Elle refusait ? répéta Tristan.

— Clothilde a du caractère, contrairement à sa sœur, qui est craintive. Elle a hérité son courage de sa mère. C'est une des raisons qui m'empêchent de la corriger trop sévèrement. Elle me rappelle ma chère épouse et joue de cette ressemblance pour m'attendrir.

Tristan devait admettre que l'éducation d'une jeune fille n'était pas du ressort d'un père.

— N'y avait-il au château aucune dame qui aurait pu la prendre en main ? demanda-t-il.

Nigel secoua la tête.

— Depuis la mort de ma femme, aucune dame de haut rang n'a séjourné ici, mis à part les épouses de mes chevaliers. Mais aucune n'avait suffisamment de poigne pour dompter Clothilde. Je l'ai bien envoyée au château de Fulbray, la confiant aux bons soins de l'épouse de lord Hugues, mais peine perdue. Ils me l'ont renvoyée en m'expliquant que la mission était au-dessus de leurs forces.

Lord Nigel se rendait-il compte qu'il décrivait une jeune fille inapte à se marier. Quel fiancé voudrait d'une telle créature ? Tristan venait de trouver un moyen d'éviter ce mariage. Nigel devrait le libérer des obligations des fiançailles. Il suffisait de lui en parler.

— Je vous remercie de votre honnêteté, déclara Tristan. Mais pensez-vous qu'elle fera vraiment une bonne épouse ?

À sa grande déception, Nigel sourit.

— Oh oui ! Je n'ai pas le moindre doute à ce sujet. Des enfants, un mari qu'elle aime, rien de tel pour l'apprivoiser et lui faire prendre conscience de ses erreurs passées.

— Comment pouvez-vous en être certain ?

— Ce fut le cas pour sa mère, figurez-vous. Et elle tient d'elle. Mon épouse était une vraie harpie quand je l'ai rencontrée, pleine de rage et de fierté, avec un sens de la repartie à toute épreuve. Mais l'amour l'a métamorphosée.

Tristan eut du mal à dissimuler ses doutes.

— Vous partez du principe qu'elle m'aimera. Mais si tel n'était pas le cas ?

Nigel se mit à rire, ce qui ne fit qu'accroître le trouble de Tristan.

— Vous me paraissez fort bien de votre personne, jeune homme. Auriez-vous des difficultés avec les femmes et les plaisirs de la chair ?

Voyant Tristan rougir, il ajouta :

— Je m'en doutais. Accordez à ma fille un peu de temps et vous deviendrez pour elle le centre de l'univers. Seul le fils de mon grand ami Guy est à même de s'occuper de ma fille aînée. Si vous ressemblez à votre père, tout ira à merveille.

Tristan vit s'envoler ses derniers espoirs d'échapper au mariage. Il allait devoir supporter cette mégère par dignité filiale, parce qu'il tenait de son père le sens de l'honneur.

Il se sentit envahi par l'amertume, sentiment qui transparut dans ses paroles, bien qu'il s'exprimât d'un ton neutre :

— Pourtant, je vais devoir me charger d'elle en attendant que la métamorphose se produise. Pensez-vous qu'elle m'obéira ?

— Elle connaît fort bien mes limites. Avec vous, elle ne pourra jouer le même jeu. Elle n'est pas sotte, vous savez. Elle est simplement... excentrique, différente. Quoi qu'il en soit, une fois mariée, elle se découvrira d'autres priorités.

Tristan ne partageait guère cet optimisme.

# 6

Jeanne eut toutes les peines du monde à dénicher sa sœur. Dunburgh était constitué en effet de nombreux couloirs et recoins sombres où il était facile de se cacher.

Elle trouva Clothilde à l'écurie, en train de sympathiser avec le superbe étalon noir de Tristan de Thorpe.

— Tu ne tentes pas de le retourner contre son maître, j'espère ? s'inquiéta Jeanne en s'approchant du box.

— J'y ai songé, avoua Clothilde.

Cette réponse fit naître un sourire sur les lèvres de Jeanne.

— Mais tu as changé d'avis ?

— Oui. Je ne voulais pas que la pauvre bête souffre, ce qui se serait produit si son maître en avait soudain perdu le contrôle. Tristan a une fâcheuse tendance à maltraiter les animaux.

— Cette sombre histoire remonte à fort longtemps, répondit Jeanne. Tristan n'était qu'un enfant à l'époque. C'est un homme, à présent.

Clothilde releva vivement la tête, ses yeux verts étincelants de colère.

— Tu as pourtant assisté à la scène, dans les bois. Il m'aurait frappée si tu n'étais pas intervenue.

— Il ignorait qui tu étais.

— Et alors ? Ce lâche n'aurait pas hésité une seconde à corriger une personne plus petite que lui.

Jeanne ne pouvait contester cet argument.

— J'ai remarqué son effroi quand il s'est rendu compte que c'était toi.

— Tant mieux, fit Clothilde. Quand j'irai rejoindre père dans la grande salle, il m'annoncera sans doute que notre contrat est annulé.

— Je n'en suis pas si sûre, répliqua Jeanne en se mordant les lèvres. Tristan aurait-il le pouvoir d'annuler un contrat signé par lord Guy ?

Clothilde fronça les sourcils.

— Je suppose que non. Alors je vais devoir demander à notre père d'intervenir, mais je ne pensais pas que ce moment viendrait aussi vite. Après tout, mon promis aurait pu venir me chercher au cours des six dernières années, mais il n'en a rien fait. En vérité, j'avais presque oublié que j'étais fiancée.

Ce n'était pas vrai, elles le savaient toutes les deux. Clothilde avait donné son cœur à un autre homme qu'elle ne pourrait épouser qu'une fois ses fiançailles rompues. De toute façon, cela faisait longtemps qu'elle nourrissait de la rancœur envers son fiancé.

— Tristan a peut-être tardé à venir, reprit Jeanne, mais il est là. Et si tu étais obligée de l'épouser ?

— Je préfère me jeter du haut de cette tour.

— Clothilde !

— Je n'ai pas dit que je le ferais.

Jeanne s'appuya contre les planches de l'écurie, ne sachant comment aider sa sœur dans l'épreuve qu'elle traversait. Thorpe avait eu tort d'attendre aussi longtemps avant de venir à la rencontre de sa fiancée. D'autant qu'il avait laissé un très mauvais souvenir à Clothilde.

Au fil du temps, sans nouvelles de sa part, Clothilde s'était tournée vers un autre chevalier, un jeune homme très bon qui ne lui reprochait pas son apparence de garçon manqué. Les deux jeunes gens étaient même bons amis. Or, Jeanne savait d'expérience qu'apprendre à connaître son promis était un bon moyen pour écarter les craintes légitimes de toute future épouse.

Deux ans plus tôt, Jeanne s'était mariée à un jeune homme qu'elle connaissait fort bien depuis ses dix ans. Elle avait eu six ans pour apprendre à connaître William, qui l'avait rendue heureuse. Pour son malheur, il était mort peu de temps après les noces, et Jeanne ne s'en était pas encore remise.

Étant la plus jeune, elle avait éprouvé quelque gêne à se marier avant sa sœur aînée. Clothilde en voulait d'autant plus à Tristan, même si elle cachait ses sentiments.

— Tu crois que père acceptera d'oublier ce contrat, maintenant que Tristan est venu ? Tu ne peux plus utiliser l'argument de son absence.

Clothilde appuya le front sur la crinière de l'étalon.

— Bien sûr qu'il le fera, murmura-t-elle si bas que sa sœur l'entendit difficilement. Il le doit, reprit-elle, à voix haute. Je ne puis épouser cette brute ! Il tenterait de m'asservir. Quand père saura que j'aime un autre homme, il comprendra mon malheur. Ce n'est pas parce que Tristan de Thorpe s'est présenté au château que son absence durant toutes ces années est oubliée. Après tout, n'est-ce pas lui qui m'a poussée à aller voir ailleurs ?

C'était un point de vue défendable. Depuis déjà deux ans, Clothilde songeait à rompre ce contrat passé à sa naissance. Elle avait toujours détesté son fiancé, même si, au début, elle avait fini par se résigner. Mais, Tristan n'avait pas donné de nouvelles, et le père de Clothilde cédait toujours aux caprices de sa fille.

Cette fois, Jeanne avait l'intime conviction que lord Nigel ne se soumettrait pas. Sa parole d'honneur était en jeu, et Clothilde devait s'en douter, ce qui expliquait son animosité.

Sans compter cette agression dans les bois... La peur avait remplacé la colère. Qui aurait pu prévoir une attaque de brigands si près du château ? Clothilde n'avait pas songé à se munir de ses armes, car elle et sa sœur se rendaient seulement au village.

— J'ai raconté notre mésaventure à père, annonça Jeanne. Il a chargé sir Milo d'organiser une battue.

— Tant mieux, fit Clothilde. Milo est un chevalier de valeur, contrairement à certains, maugréa-t-elle.

Jeanne se refusa à tout commentaire.

— Je me demande qui nous a attaquées, reprit-elle. Apparemment, c'était à toi qu'ils en voulaient.

— Tu l'as remarqué, toi aussi ? répondit Clothilde, fronçant les sourcils d'un air pensif. Je croyais me faire des idées. Mais je jurerais que c'est à moi qu'ils s'intéressaient.

— C'est vrai, admit Jeanne. Mais pourquoi ?

— D'après toi ? demanda Clothilde en haussant les épaules. Pour obtenir une rançon, bien sûr ! Si tu prends en compte les énormes travaux réalisés au château, il est évident que les coffres de père sont pleins. Or, je suis son héritière.

— Qui s'en douterait, en te voyant ? commenta Jeanne avec un rire taquin.

Clothilde lui sourit.

— En effet. Dunburgh est un lieu de passage pour les marchands et les troubadours, ainsi que les mercenaires. N'importe qui a pu entendre parler de moi. Nous avons sans doute eu affaire à des mercenaires qui ont trouvé là un moyen de s'en mettre plein les poches.

— Il va falloir te montrer très prudente dorénavant, prévint Jeanne. Tu ne pourras plus aller seule à la chasse, comme tu en as l'habitude.

— Si j'avais eu mon arc, ils ne se seraient jamais approchés de nous, et tu le sais bien.

Elle disait vrai, mais Jeanne resta sur ses positions.

— Ils n'étaient que quatre. La prochaine fois, ils risquent d'être plus nombreux. Abstiens-toi de chasser ou prends quelques gardes avec toi, du moins jusqu'à la capture de ces brigands.

— On verra, promit Clothilde.

Jeanne savait qu'il était inutile d'insister. Pour infléchir Clothilde, il fallait user de subtilité. Jeanne abandonna la question dans l'immédiat. Elle avait encore à lui exposer la raison de sa venue. Comment la persuader ?

— Ton cher Flèche va être jaloux si tu accordes trop d'attention à cet étalon en sa présence, dit-elle, ne sachant comment aborder le problème.

— Mais non. Il sait très bien que je l'aime toujours autant.

Sur ces mots, elle se dirigea vers lui. L'étalon voulut la suivre, mais, d'une voix douce, elle lui dit de rester à sa place. Quand elle se détourna de nouveau, le cheval ne bougea pas.

Jeanne avait maintes fois assisté à cette scène. Clothilde avait toujours su s'y prendre avec les animaux. Ils semblaient la comprendre. Quant à elle, elle ressentait leurs craintes, leurs souffrances, et savait les réconforter. Avec elle, nul ne se sentait menacé. À la chasse, elle demandait pardon à ses victimes et les épargnait souvent. Elle ne chassait que pour se nourrir, jamais par plaisir de tuer.

Jeanne, elle, préférait le contact de ses semblables. C'était un être d'une sensibilité rare. Aussi redoutait-elle bien plus la colère des hommes que sa sœur. Son cher William ne connaissait pas la colère. Et il l'avait aimée tendrement.

Elle avait partagé l'amour de son mari au point de prier son père de refuser toute autre proposition la concernant. Elle ne souhaitait nullement se remarier. Jamais elle ne retrouverait un aussi bon époux.

Après quelques caresses à son cheval, Clothilde se retourna pour quitter l'écurie.

— Père m'envoie te chercher, déclara Jeanne. Il veut que tu viennes dans la grande salle. Dans une tenue correcte.

Clothilde prit un air narquois.

— Que je mette un bliaud pour satisfaire cet homme ? Il faudra m'en confectionner un avec des orties, car je n'ai rien à me mettre.

Jeanne voulut dissimuler son sourire, mais trop tard.

— Ce sera inutile. Je vais t'en prêter un. Je sais que tu as brûlé tous ceux que père t'a fait faire sur mesure.

— Alors mets-le et fais-toi passer pour moi. Je n'ai nulle envie de m'entretenir avec ce butor de Tristan.

Ce n'était pas une idée stupide. Dans le passé, les sœurs avaient souvent échangé leurs rôles. Jeanne s'amusait beaucoup à se faire passer pour Clothilde. Elle avait alors l'impression d'avoir son courage et sa personnalité, qualités qui lui faisaient cruellement défaut. Cela faisait des années qu'elles n'avaient plus joué à ce petit jeu. Mais Tristan de Thorpe lui inspirait trop de crainte.

— C'est impossible, Clothilde, dit-elle. Il m'impressionne. Tu ne voudrais pas qu'il s'imagine qu'il te fait trembler de peur. De plus, père nous surveille de près.

— Alors explique à notre père que tu ne m'as pas trouvée. Je refuse d'avoir affaire à Tristan de Thorpe. Je compte d'ailleurs faire annuler le contrat dès que je pourrai avoir une conversation privée avec père.

— Il sera furieux si je ne reviens pas avec toi.

— Les colères de notre père ne durent jamais longtemps, tu le sais bien.

Jeanne se doutait qu'il en serait autrement, cette fois. Loin d'être un hôte ordinaire, Tristan de Thorpe méritait les honneurs dus au fils d'un comte.

— Très bien, je vais lui dire, mais il ne va pas apprécier ton attitude. Dépêche-toi de lui parler et calme-le.

Jeanne quitta les écuries, laissant sa sœur pensive.

— Le calmer ? fit-elle pour elle-même. Jeanne ! criat-elle. C'est toi qui as le don d'apaiser les conflits, pas moi !

Mais la douce Jeanne avait déjà disparu.

# 7

Clothilde se rendit à l'armurerie pour quérir un arc. Elle n'osait pas aller chercher le sien dans le donjon de peur de croiser son fiancé. Ensuite, elle franchit subrepticement une barbacane avant de s'enfoncer dans les bois. Son sang bouillonnait d'une colère qui ne demandait qu'à éclater.

Bientôt, elle grimpa dans un arbre et s'installa sur une grosse branche. De son perchoir, elle jouissait d'une vue imprenable sur la région et la faune qui n'hibernait pas. Se sentant une soudaine envie de tuer, elle contrôla ses instincts. Par principe, elle ne chassait jamais sous le coup de la colère. Elle s'était munie d'un arc uniquement pour se protéger de ses agresseurs qui rôdaient dans les parages.

Elle cherchait aussi à fuir un souvenir douloureux que cet homme avait fait ressurgir. Elle aurait pu oublier cette journée. C'était si loin, et elle était si jeune. Mais trop de souffrance s'était ensuivie.

Elle venait de montrer fièrement à ses amis comment elle avait dressé Rhiska, son faucon. Le fauconnier le lui avait cédé car, l'oiseau n'étant pas né au château, il ne parvenait pas à l'apprivoiser. Il avait même déclaré à la petite fille qu'il comptait le donner aux cuisines. Avec le recul, elle savait que ce n'était qu'une plaisanterie. L'enfant était en tout cas très fière d'avoir sauvé la vie du rapace.

Puis ce jeune homme était apparu, la foudroyant d'un regard noir comme si elle avait commis quelque faute. Clothilde avait dressé Rhiska à l'insu du fauconnier, car c'était interdit. Elle savait qu'elle avait désobéi, mais comment cet inconnu pouvait-il être au courant ?

Puis, il lui avait annoncé qu'il était son fiancé. Ce fut pour elle une catastrophe. Il était pourtant joli garçon. Toute autre jeune fille aurait été enchantée d'être sa promise. Mais Clothilde s'était juré qu'elle ne se marierait jamais.

Quelques jours auparavant, un serf du village avait frappé sa femme si brutalement qu'elle avait succombé à ses blessures. Les rumeurs qui suivirent marquèrent Clothilde à vie.

« Elle l'a bien mérité, disait-on. Il est normal qu'un mari se fasse respecter de sa femme. Il aurait pu frapper moins fort : qui va lui préparer à manger, maintenant ? Une femme devrait être plus avisée et ne pas susciter le courroux de son époux. »

Dans l'esprit de la petite fille, le meilleur moyen d'éviter la mort était de ne jamais se marier. Elle se demandait d'ailleurs pourquoi les femmes n'y pensaient pas plus souvent. Elle ignorait encore l'existence de Tristan de Thorpe, et le contrat qui la liait à lui depuis le jour de sa naissance. Quand elle apprit le triste sort qui l'attendait, elle sentit son univers s'écrouler.

Il mentait, bien sûr, mais il semblait si sûr de lui. Cette année-là, Clothilde comprit que tout ce qu'elle rêvait d'accomplir lui était interdit parce qu'elle était une fille. Cette année-là, aussi, son entourage prit vraiment conscience de sa personnalité hors du commun.

Le menteur en eut un bref aperçu. Pourtant, quand elle lui ordonna de se retirer, il ne broncha pas. Ce fut la goutte d'eau qui fit déborder le vase. Il fallait que cet intrus quitte le château pour ne plus jamais revenir.

Clothilde voulut poser Rhiska sur son perchoir pour aller quérir un garde afin qu'il la débarrasse de l'importun. Sentant un danger, le faucon réagit de façon imprévue et se précipita sur Tristan.

Avec stupeur, Clothilde vit l'inconnu lever sa main non gantée pour se protéger le visage. Clothilde voulut écarter le faucon de sa victime, quand le jeune homme repoussa lui-même l'animal d'un geste brutal.

Sous la violence du choc, Rhiska mourut sur le coup. Clothilde n'eut pas besoin de l'examiner pour en avoir la certitude, car elle avait senti son âme s'envoler. Cette perte la rendit folle de chagrin, si bien qu'elle se rua à son tour sur Tristan, ivre de rage, assoiffée de vengeance.

Elle ne se rendit compte de ses actes que lorsqu'il l'écarta de lui sans ménagements. En tombant, l'enfant perçut le craquement de sa cheville et se sentit aussitôt envahie d'une douleur fulgurante. Elle savait que les fractures du pied ne guérissaient pas et qu'elle risquait d'être invalide pour le reste de sa vie. Or, un invalide n'avait pas droit à la moindre pitié, on le traitait avec indifférence. Plus méprisés que les serfs, ils finissaient mendiants.

Clothilde ne cria pas, sans doute sous le coup du choc. Elle ignorait encore à ce jour comment elle avait eu le courage de remettre en place son os déboîté. Seule la volonté de ne pas finir estropiée l'avait guidée.

Ses amis partirent chercher de l'aide, tandis que l'inconnu disparaissait aussi vite qu'il était venu. La fillette ne le revit jamais. Comme elle ne se plaignait pas, nul ne prit sa blessure au sérieux. Son père crut à une simple entorse.

Seule Jeanne connaissait la vérité et partageait ses craintes. Le médecin du château n'y vit que du feu. Il s'était contenté d'une bonne saignée sans même examiner la blessure. C'était le seul remède qu'il connaissait. Au moins, ses sangsues étaient bien nourries.

Clothilde ne put marcher pendant trois mois. Elle refusa d'ôter la botte, ne voulant pas regarder son pied infirme. Maintenir les liens bien serrés sur sa cheville était le seul moyen de soulager sa douleur, aussi restait-elle chaussée jour et nuit.

Quand la douleur eut disparu, elle n'osa pas s'appuyer sur son pied ou examiner sa cheville de près. Seule Jeanne parvint à la persuader de se déchausser. C'est alors qu'elles découvrirent que l'enfant était guérie.

Depuis ce jour, Clothilde remerciait le ciel de l'avoir sauvée. Elle n'apprit l'identité de l'inconnu que deux ans plus tard, lors des fiançailles officielles. Tristan n'avait pas menti, mais ne s'était guère attiré la sympathie de Clothilde. Bien au contraire. Elle le méprisait de toutes ses forces et refusait l'idée même de ce mariage.

Pendant des années, Clothilde se tourmenta. Puis, à l'âge de quatorze ans, elle finit par cesser d'y penser. Apparemment, Tristan ne viendrait jamais la chercher. Elle était bien décidée à épouser dès que possible son cher Roland.

Son père n'aurait qu'à se plier une fois de plus à sa volonté. Avec Roland, elle serait heureuse, elle en était certaine, car elle l'admirait. Avec Tristan, sa vie serait un cauchemar.

Certes, il était encore plus beau à l'âge adulte qu'il ne l'était enfant. Mais il n'arrivait pas à la cheville de Roland, qui avait le visage d'un ange sur un corps de géant. Il ressemblait à son père Raoul, que Clothilde avait rencontré lors d'un séjour à Fulbray.

C'est là que Clothilde et Roland avaient été élevés. La plupart des garçons s'y préparaient à leur rôle de chevalier. L'éducation y était stricte. Le château prenait également en charge les jeunes filles orphelines de mère.

Dès leur rencontre, Clothilde fut fascinée par Roland. Elle avait huit ans, lui un peu plus, mais il était si grand qu'il dépassait tous les autres garçons. Il apprenait vite et se distinguait dans toutes les disciplines. D'abord, elle envia ses capacités exceptionnelles.

Elle refusait de rester en compagnie des dames qui voulaient lui enseigner la couture, la broderie, les bonnes manières, toutes ces fariboles qui ne l'intéressaient nullement. Elle n'aimait que les armes, la beauté d'une flèche touchant sa cible, la précision d'un coup de glaive.

Ainsi Clothilde passa deux ans à se cacher de dame Margaret, qui la poursuivait dans les couloirs pour la ramener de force au salon où se tenaient les jeunes filles. En se faisant passer pour un garçon, l'enfant apprit tout de même à fabriquer arcs et flèches.

Roland et Clothilde étaient tous deux différents des enfants de leur âge. Elle ne l'avait pas revu depuis la dernière visite du jeune homme, quelques années plus tôt. Il fréquentait toujours Fulbray en attendant de devenir chevalier.

Il l'était peut-être déjà. Elle ignorait tout de lui car ils correspondaient peu. Dernièrement, elle avait cessé de lui écrire car elle ne pensait qu'au mariage et ne savait comment l'évoquer.

Clothilde réfléchissait à ses projets quand elle perçut le bruit des sabots d'un cheval. Un cavalier s'approchait de l'arbre où elle était perchée. Les yeux baissés, il ne la remarqua pas. Très vite, elle reconnut un des chevaliers qui accompagnaient Tristan.

Il s'arrêta non loin d'elle.

— Vous pensez que cette branche va vous porter sans craquer ? lança-t-il soudain.

Clothilde se raidit. Jamais on ne l'avait repérée ainsi. Or, ce chevalier n'avait pas levé les yeux. Bientôt, la jeune fille découvrit deux yeux d'un bleu intense, un peu moins cependant que ceux de Tristan.

— Vous ne pouvez être le frère de Tristan de Thorpe, car il est fils unique, déclara-t-elle. Quelque cousin, peut-être ?

Un peu surpris, il se mit à rire.

— La plupart des gens ignorent les liens qui nous unissent. Comment avez-vous deviné ?

Certes, les deux hommes ne se ressemblaient pas beaucoup. Tristan était plus grand et plus fort, il avait les cheveux plus bruns, les traits moins doux.

Pourtant, la jeune fille était persuadée d'avoir vu juste.

— Vous avez un peu le même regard, expliqua-t-elle.

— En effet, admit le jeune homme. Nous sommes du même père. Mais moi, je suis né au village.

Un bâtard, songea-t-elle. Ils n'étaient pas rares. Certains héritaient même de leur noble géniteur. Pourquoi Clothilde ne ressentait-elle pas pour lui la même répulsion que pour son demi-frère ? En fait, il semblait gentil, avec son sourire et ses yeux rieurs. En tout cas, il n'avait rien de menaçant. Assurément, il n'avait pas grand-chose en commun avec Tristan.

— Que faites-vous seul dans les bois ? s'enquit-elle prudemment.

— Je recherche une bande de brigands qui ont osé s'attaquer à une dame.

Sir Milo avait-il fait appel à ses services ? Pour quelle raison ? Dunburgh possédait suffisamment de chevaliers et plus de cinquante hommes armés.

— Vous devriez descendre de cet arbre. Cette branche risque de céder.

— Je ne pèse pas si lourd.

— C'est vrai, vous êtes petit, concéda-t-il. Cependant, à mon avis, vous êtes plus âgé que vous n'en avez l'air, ajouta-t-il d'un air mystérieux.

— Pourquoi dites-vous cela ?

— Vous êtes trop clairvoyant pour un serf, du moins pour un garçon aussi jeune.

Cet homme ne savait donc rien de son identité. Il reprit :

— De plus, vous êtes trop audacieux. Qui êtes-vous donc, mon garçon ? Un homme libre ?

— Ce serait préférable, mais non. En fait, je suis la fille de Nigel Crispin.

Incapable de dissimuler son étonnement, le jeune homme marmonna :

— Mon Dieu… Pauvre Tristan…

Ainsi, il avait pitié de son frère parce qu'il était fiancé à elle ? Naturellement, ce n'était pas pour elle qu'il s'inquiétait, elle qui allait devoir épouser une brute. D'ailleurs, depuis quand les hommes se souciaient-ils du sort des femmes ?

Clothilde sauta de sa branche et atterrit devant le cheval, qui recula de quelques pas. Elle le réconforta aussitôt de quelques mots en lui flattant l'encolure. L'animal lui montra aussitôt sa sympathie.

— En effet, votre frère est digne de pitié, déclara Clothilde fièrement. Car si l'on me force à m'unir à lui, il ne connaîtra pas la paix.

Sans attendre de réponse, elle tourna les talons.

— Portez-vous toute cette boue pour vous camoufler ou pensez-vous que la toilette est néfaste à la santé ?

Elle fit volte-face. Ces considérations personnelles ne le regardaient en rien…

— Quelle boue ?

Il lui sourit.

— Vous avez le visage et les mains crottés, demoiselle. Vous dissimulez à merveille votre teint de jeune fille. Est-ce volontaire ? À moins que vous n'ayez pas vu votre reflet dans une glace depuis fort longtemps.

Clothilde serra les dents.

— S'admirer dans la glace est une perte de temps. Et ma vie ne vous regarde en rien. Et sachez que je me lave plus souvent que la plupart des gens !

— Dans ce cas, vous êtes sur le point de prendre un bain ! rétorqua-t-il en riant.

Clothilde se retint de se passer la manche sur le visage pour constater le résultat. Jeanne ne cessait de lui reprocher son manque d'élégance. Mais elle n'avait pas l'habitude d'entendre un tiers lui en parler. Qu'importe ! Il était stupide et par trop féminin de se soucier de son apparence.

Elle décida de ne plus se baigner jusqu'au départ de Tristan, ce qui tarderait bien trop à son goût. Si son frère avait remarqué sa saleté, celle-ci ne pouvait avoir échappé à Tristan. Tant mieux, si ce détail pouvait l'éloigner d'elle.

— Je vous prie de vous soucier de votre propre hygiène corporelle, monsieur, car vous n'aurez guère le temps de prendre un bon bain chaud, ici.

Sur ces mots, elle s'enfonça dans les bois et disparut de sa vue.

# 8

Clothilde commençait à ressentir la faim. Ce jour-là, elle n'avait en effet ni dîné, ni soupé. Pourtant, elle était bien trop anxieuse pour aller faire un tour aux cuisines avant de retrouver son père. Fidèle à son habitude, celui-ci se retirait chaque soir à la même heure dans ses quartiers, qu'il ait des invités ou non. Clothilde voulait profiter de ce moment pour tenter de le convaincre.

Elle se glissa dans l'antichambre, où dormaient ses écuyers, et attendit qu'ils aient quitté la grande chambre après avoir préparé leur maître pour la nuit. Elle n'eut pas longtemps à patienter. Les deux écuyers apparurent et, la reconnaissant, ne lui prêtèrent que peu d'attention tandis qu'elle entrait chez lord Nigel.

Les courtines du lit étaient tirées pour protéger le seigneur des courants d'air. La jeune fille s'éclaircit la gorge pour signaler sa présence et s'assurer que son père était bien seul.

Lord Nigel n'avait jamais pris de maîtresse, du moins pas à sa connaissance. Il vivait dans le souvenir de la seule femme qu'il ait jamais aimée. Clothilde regrettait amèrement de n'avoir pas connu sa mère, une femme merveilleuse, disait-on, et qui inspirait le respect de tous. L'enfant, qui n'avait que trois ans à l'époque de sa mort, ne se rappelait que son doux parfum et une voix chaleureuse et rassurante.

— Je t'attendais, déclara Nigel en écartant le rideau.

Lorsque Clothilde s'approcha doucement du lit, il lui fit signe de s'asseoir. Elle n'ignorait pas qu'il avait envoyé des serviteurs à sa recherche car elle avait passé la journée à les éviter.

— Seriez-vous trop fatigué pour bavarder, père ? s'enquit-elle prudemment en s'installant au bord du lit.

— Nos discussions sont toujours passionnantes, ma fille, car tu as des idées très particulières sur la vie. Non, je ne suis jamais trop las pour te parler.

— Vous me trouvez intéressante ? fit-elle en fronçant les sourcils. Ce n'est pas le cas de tout le monde.

— Je ne dirai pas le contraire. Les gens te trouvent un peu bizarre. Il est bon que tu ne t'en offusques pas. Quand on s'efforce d'être différent, il faut toujours en subir les conséquences, mon enfant. La nature humaine s'attache à la normalité, aux traditions, et redoute ce qui sort du droit chemin.

— Nul n'a peur de moi, père.

— Pas ceux qui te connaissent. À leurs yeux, tu es normale, car ils t'ont vue grandir. Mais tu te trompes en croyant que tu peux agir à ta guise en toutes circonstances. La vie, ce n'est pas cela, Clothilde.

La jeune fille releva la tristesse de son père, mais ne prit pas ses paroles trop au sérieux. Elle n'allait pas modifier ses habitudes uniquement parce que certains la trouvaient excentrique. Elle n'avait jamais supporté la moindre contrainte, pourquoi abandonner toute résistance maintenant ? Elle se doutait que son père souhaitait la voir changer à cause de Thorpe.

— Tu es assez grande, reprit-il, et suffisamment intelligente pour te rendre compte des avantages qu'il y a à faire des compromis.

— Que voulez-vous dire par là, père ? demanda-t-elle en se figeant.

— Que cela ne t'aurait pas coûté grand-chose d'enfiler un bliaud pour donner bonne impression à ton fiancé. Tu as tout intérêt à lui plaire. Mais non, tu ne cherches même pas à sauver les apparences. Pourquoi t'obstines-tu à me mettre dans l'embarras en présence du fils de mon meilleur ami ?

— Vous savez bien que telle n'était pas mon intention !

— Pourtant, ce fut le cas, répondit-il. Cela t'aurait-il contrariée à ce point de traiter notre invité avec le respect qui lui est dû ?

— Je ne lui dois aucun respect, grommela-t-elle.

Nigel fronça les sourcils.

— Mais si ! Je te rappelle qu'il est ton fiancé !

— Je préférerais qu'il en soit autrement.

— Autrement ?

Le moment était venu d'aborder la raison de sa visite. Elle s'empressa de prendre la parole.

— Je ne veux pas l'épouser, père. Cette perspective me révulse. Je voudrais…

— C'est bien naturel, coupa Nigel.

— Non, car le problème vient de lui. Ce matin, dans les bois, il a voulu me frapper. Heureusement, Jeanne est intervenue à temps. Simplement parce que je lui avais demandé pourquoi il ne se lançait pas à la poursuite de nos agresseurs.

Elle avait conscience de tromper son père en omettant de préciser que Tristan ne l'avait pas reconnue. Malheureusement pour elle, Nigel devina la vérité.

— Il t'avait prise pour un garçon, un serf. Tu sais fort bien que les serfs sont châtiés quand ils manquent de respect à un seigneur. On en a pendu pour moins que cela. Tristan s'est montré très clément, au contraire.

— Vous accepteriez donc qu'il me brutalise ? protesta Clothilde.

— Je doute que cela se produise un jour, railla Nigel. Sois honnête, ma fille. C'est toi qui l'as provoqué. À présent, tu as le choix. Tu peux vivre en harmonie ou dans l'amertume, à toi d'en décider.

— Je ne veux pas vivre avec lui ! Je veux épouser Roland Fitzhugh de Clydon ! Je le connais bien. Nous sommes amis.

— Le fils de lord Raoul ?

— Oui.

— N'est-il pas un suzerain de Guy de Thorpe ?

— Certes, mais…

— Tu voudrais épouser le fils d'un vassal alors que tu es fiancée à l'héritier du comte de Shefford ? Aurais-tu perdu la raison, ma fille ?

— Si vous n'étiez pas l'ami du comte de Shefford, si vous ne lui aviez pas sauvé la vie, vous n'auriez jamais osé penser à son cher fils !

— Je suis d'autant plus honoré qu'il t'ait désignée. C'est lui qui m'a fait cette proposition de fiançailles. Refuser eût été insultant. Tu devrais plutôt te réjouir. Imagine, tu seras la femme d'un comte !

— Qu'importent les titres, je sais que je serai malheureuse avec lui. Vous ne voulez donc pas mon bonheur ? Vous préférez me condamner à une vie pleine de haine ?

— Je ne souhaite que ton bonheur. Et je sais que tu seras heureuse quand tu auras surmonté ta répulsion. Il n'y a pas de raison pour que tu ne l'aimes pas.

Elle faillit lui en fournir, mais son père ignorait tout de ses mésaventures passées. Pendant les trois mois où elle avait le pied cassé, Jeanne se faisait passer pour elle. Jamais il ne la croirait, à présent. D'ailleurs, Nigel aurait certainement pardonné les bêtises d'un jeune garçon.

Alors elle lui mentit, sachant que son explication se vérifierait certainement au fil du temps.

— Je ne puis épouser Tristan de Thorpe car j'aime Roland et je sais que je serai heureuse avec lui. Ce sera un bon mari, comme vous, père.

— Ton attitude est puérile, répondit son père en secouant la tête. Ce n'est pas cela, l'amour.

— Mais si !

— Tu n'as pas vu ce garçon depuis deux ans, si je me souviens bien de sa dernière visite. Certes, il est charmant, bien éduqué. Il fera sans doute un excellent mari, en effet. Quant à moi, je ne t'ai pas rendu service en cédant à tous tes caprices autrefois. Ce n'est plus de tolérance dont tu as besoin, mais d'autorité. Tu dois comprendre que tu seras bientôt une épouse, une mère et que tu dois adopter un comportement raisonnable. À moins que tu ne souhaites me faire honte jusqu'à la fin de mes jours, comme tu m'as fait honte jusqu'à présent ?

Clothilde blêmit. Jamais son père ne lui avait parlé sur ce ton. Il lui avait souvent fait part de la gêne qu'il éprouvait à cause de ses excentricités. Mais elle ne l'avait pas pris au sérieux. À présent…

— Vous avez honte de moi ? bredouilla-t-elle.

— Non, mon enfant. Je suis simplement déçu que tu n'acceptes pas ton destin. Le Seigneur en a décidé ainsi. J'en ai plus qu'assez que ma propre fille ne m'écoute pas. N'oublie pas que tu me dois obéissance. Sinon, comment veux-tu que mes gens me respectent ?

— Ce n'est pas vrai !

— Mais si. Un homme qui ne peut maîtriser sa propre fille en est indigne. Tu t'obstines à me résister. Eh bien, j'ai une dernière requête à formuler avant que tu ne quittes ma maison pour de bon. Honore ton contrat. Fais-le pour moi, pour mon honneur et pour celui de toute la famille.

Comment Clothilde pouvait-elle refuser ? Pourtant, elle ne pouvait se résigner à épouser un homme qu'elle n'aimait pas. Nigel se rendit compte du dilemme qui la tiraillait.

— Tu n'es pas tenue de l'épouser demain. Peut-être un temps de réflexion te serait-il profitable ? Disons un mois. Tu verras que Tristan sera le meilleur des époux.

— Et si j'en arrive à la conclusion inverse à l'issue de ce délai ?

— Je te connais, ma fille, fit Nigel en soupirant. Tu es têtue comme une mule. Essaie de considérer la situation sous un autre angle. Accorde à Tristan une chance de faire ses preuves.

— Je ne sais pas, répondit-elle.

— C'est déjà mieux qu'un refus, commenta-t-il en esquissant un sourire.

— Et si je n'arrive pas à l'apprécier ?

— Je saurai au moins que tu as essayé... Alors nous verrons.

Son père ne lui laissait que peu d'espoir, mais elle ne pouvait attendre plus de sa part, car il tenait beaucoup à cette union.

# 9

Après avoir pris congé de son père, Clothilde se rendit aux cuisines. Mais ses tourments lui avaient coupé l'appétit. Elle était si perdue dans ses pensées qu'elle en avait oublié la raison qui l'amenait en ces lieux.

Accorder une chance à Tristan ? Avait-elle vraiment accepté ce compromis infâme ? Pourtant, elle savait de quoi il était capable. En grandissant, il ne pouvait avoir perdu sa tendance naturelle à la violence. Elle en avait eu la preuve lorsqu'il avait repoussé ses agresseurs. Gare à quiconque osait lui résister !

— Voilà donc où vous vous cachiez !

Clothilde fit volte-face. Il était là, sur le seuil. La stature de Tristan était vraiment impressionnante. Ses cheveux de jais qui lui tombaient sur les épaules, ses yeux bleus étaient si sombres qu'ils semblaient noirs, eux aussi… Ses épaules et ses bras musclés se dessinaient dans la pénombre, plus menaçants que jamais.

Roland était plus grand que lui, mais il n'inspirait pas à la jeune fille une telle crainte. Clothilde s'en voulait d'avoir aussi peur et détesta Tristan encore davantage. Elle se mit à trembler de la tête aux pieds. Ce devait être le souvenir de la douleur qu'il lui avait infligée autrefois.

Ainsi devait-elle lui accorder une chance de prouver sa valeur ? Comment allait-elle survivre à ce calvaire ? Dans les bois, juste après l'agression, lorsqu'elle l'avait insulté, elle n'avait pas eu peur une seconde. La colère avait balayé tout autre sentiment, lui donnant le courage de s'exprimer librement. Dorénavant, elle n'avait plus le droit de l'affronter si elle voulait respecter la volonté de son père.

— Dois-je ajouter la surdité à la liste ? s'enquit-il.

— La liste de mes défauts ? fit Clothilde en se raidissant. Je vous en prie. Sachez que je ne me cachais pas. Au fait, que faites-vous ici ? Ne vous a-t-on pas donné à manger au souper ?

— Si, mais je n'avais pas faim, tout à l'heure. À présent, je grignoterais bien un morceau. Voulez-vous savoir ce qui me coupait l'appétit ?

Clothilde fronça les sourcils, devinant la colère de Tristan à son ton réprobateur. Elle était peut-être en tort, mais, par sa faute, elle non plus n'avait rien avalé de la journée.

— Je comprendrais fort bien que vous soyez aussi contrarié que moi par notre mariage, déclara-t-elle.

— Je vois, fit-il en hochant la tête.

Loin de se sentir insultée, la jeune fille reprit espoir. S'il ne se réjouissait guère de l'épouser, il allait en parler à son père. Peut-être aurait-il plus de chance qu'elle. Ils pourraient même se sortir ensemble de ce pétrin. Dans ce cas, autant jouer franc jeu avec lui.

— Vous avez sans doute compris que je n'ai aucune envie de vous épouser, dit-elle. Vous n'y êtes pour rien, mentit-elle. Il se trouve que j'aime un autre homme.

Apparemment, elle n'en avait pas dit assez. Tristan parut courroucé.

— Moi aussi, j'en aime une autre. Et alors ? Nos sentiments ne changent rien à l'affaire. Notre mariage sera à l'image de bien d'autres unions arrangées.

— Mes parents s'aimaient, eux, répliqua-t-elle. J'espérais connaître le même bonheur.

— Vos parents étaient une exception, railla-t-il. Vous savez parfaitement que les mariages entre nobles ne sont que des alliances stratégiques. L'amour n'entre pas en compte.

— Il devrait en être autrement !

— Eh bien, ce n'est pas le cas, et il serait puéril d'espérer le contraire.

— Puéril ! Vous n'êtes pas plus enthousiaste que moi, alors pourquoi acceptez-vous cette union ? Pourquoi ne pas demander à votre père de rompre les fiançailles ?

— Vous croyez que je ne l'ai pas déjà fait ?

Elle sentit aussitôt ses derniers espoirs s'envoler. Manifestement, Tristan n'avait pas obtenu gain de cause.

— À mon avis, vous abandonnez la lutte trop vite, marmonna-t-elle amèrement.

— Je ne vous demande pas votre avis. Jamais je ne vous le demanderai. Votre comportement puéril dénote un manque de maturité évident. L'opinion d'une enfant ne m'intéresse pas.

C'est à cet homme qu'elle était censée accorder une chance ? Un beau mari, en vérité ! Il ne valait pas mieux que les cochons de la porcherie.

— C'est étrange comme les hommes ont tendance à n'écouter qu'eux-mêmes ! répliqua-t-elle, les joues écarlates.

Elle marqua un point. Tristan s'empourpra à son tour, furieux. Il s'approcha d'elle, trop près au goût de la jeune fille. Elle avait oublié qu'il réglait ses différends à coups de poing.

Pourtant, elle ne recula pas, trop en colère. Il lui saisit le menton sans lui faire mal, mais la foudroya d'un regard menaçant.

— Vous allez apprendre à me parler sur un autre ton ou à vous taire.

— Vraiment ?

Il sourit en entendant sa voix tremblante. Ce sourire exprimait une telle cruauté que Clothilde sentit sa gorge se nouer.

Tristan était trop fort. Elle ne se sentait pas aussi vulnérable en présence de Roland. Peut-être parce que Roland n'avait pas autant de prestance que Tristan.

Il se pencha vers elle pour répondre à sa bravade.

— Oui, car vous apprendrez d'abord que je ne suis pas votre père. Ne croyez pas que vous pourrez me mener par le bout du nez, comme vous manipulez lord Nigel.

— Vous ignorez tout de ce qu'il m'autorise.

— Je le vois très bien, et cela ne me plaît pas. Je tiens à ce que vous soyez vêtue correctement la prochaine fois que je vous rencontrerai. Comment puis-je vous connaître alors que vous avez tout d'un vulgaire mendiant ?

Le souffle coupé, Clothilde quitta précipitamment la pièce.

— Vous partez ? fit Tristan, d'une voix ironique. Vous ne préparez donc pas un souper pour votre homme ?

Arrivée au pied des marches, elle lui répliqua :

— Uniquement si vous souhaitez avaler votre propre langue !

# 10

— Il est l'heure, mademoiselle.

— Vraiment ? marmonna Clothilde, le visage enfoui dans son oreiller.

— Oui. Regardez donc par la fenêtre, déclara la servante. Le soleil se lève.

— Regarde toi-même, Mary, et laisse-moi dormir encore un peu.

— Mais mademoiselle ne se lève jamais aussi tard !

Clothilde ramena les couvertures sur elle en grommelant.

— Je n'ai pas non plus l'habitude de manquer de sommeil. Cette nuit, j'ai très mal dormi. Je vais donc me rattraper ce matin. Tu peux disposer. Reviens dans une heure… ou deux. Disons trois.

La domestique s'en alla. Avec un soupir d'aise, Clothilde se rendormit aussitôt. Bientôt, quelqu'un tira de nouveau sur sa couverture.

— Si vous ne vous levez pas maintenant, vous n'aurez pas de dîner, annonça Mary.

— Le dîner ? répéta la jeune fille en se redressant d'un bond. Tu m'as laissée dormir aussi longtemps ?

Le repas était servi à midi. Jamais la jeune fille ne s'était levée plus tard que neuf heures.

La servante affichait une mine désolée. Mary s'occupait avec dévouement des deux sœurs depuis leur tendre enfance. Son expérience lui accordait quelques privilèges.

Clothilde l'ignora et quitta le grand lit qu'elle partageait avec Jeanne. Sa sœur s'était sans doute levée aux aurores pour s'occuper des invités, comme le voulait la tradition. Jeanne était considérée comme la maîtresse du Dunburgh, rôle que Clothilde lui cédait volontiers.

Elle ôta sa longue chemise de nuit pour enfiler une tunique et des braies. Soudain, elle se souvint qu'elle devait mettre une tenue plus convenable, comme elle l'avait promis à son père. Tant pis ! Elle chassa vite cette pensée et continua à enrouler le cordon de cuir sur ses chausses. Pas question de s'habiller différemment pour obéir à un ordre de Tristan ! Ne l'avait-il pas insultée en la comparant à un mendiant ?

Elle chercha des yeux de quoi se chausser.

— Où sont mes bottes ? demanda-t-elle à Mary.

— Sous le lit, là où vous les avez laissées.

— Je ne les laisse jamais sous le lit, mais près de ma table de toilette.

Mary se pencha pour ramasser les bottes et lui demanda d'un air entendu :

— Mais pourquoi n'avez-vous pas dormi de la nuit ?

Clothilde rougit. Avant de se coucher, elle aurait aimé se confier à Jeanne, mais sa sœur dormait depuis longtemps. Ainsi, elle n'avait pu soulager sa conscience.

Soudain, son estomac lui rappela qu'elle n'avait rien avalé depuis la veille. Elle finit de s'habiller et saisit son épaisse cape en lainage. Mary lui en tendit une autre.

— Si vous avez décidé de ne pas faire plaisir à votre cher papa en vous habillant normalement, portez au moins ceci en l'honneur de nos invités, suggéra-t-elle.

C'était un long vêtement destiné à être porté sur un bliaud, en épais velours bleu ourlé de fourrure noire. Se disant qu'elle pouvait au moins accorder cette grâce à son père, Clothilde hocha la tête. La domestique posa la cape sur ses frêles épaules et ferma les attaches dorées pour la maintenir en place.

Néanmoins, l'effet n'était pas saisissant. Un bliaud bleu assorti eût été plus approprié. Mary se contenta d'un soupir résigné tandis que la jeune fille quittait la pièce.

Dans la grande salle, les conversations allaient bon train. Habitants du château et invités étaient réunis pour le repas. Affamée, la jeune fille descendit les marches en courant. Elle s'arrêta net en découvrant Tristan au pied de l'escalier, comme s'il l'attendait. Il la toisa avec attention puis secoua imperceptiblement la tête.

— Ce n'est qu'une demi-réussite. Remontez dans votre chambre et finissez de vous habiller !

Clothilde se raidit. Puis elle serra les dents, le foudroyant du regard. Elle voulut lui répondre, mais il reprit :

— Peut-être avez-vous besoin de mon aide ? Montez et habillez-vous, sinon je m'en chargerai moi-même.

— Vous n'oseriez pas ! siffla-t-elle.

— Pourquoi pas ? répliqua-t-il en riant. Interrogez donc votre prêtre sur les contrats de mariage. Vous apprendrez que nous sommes pratiquement mariés. Il ne reste plus qu'à consommer notre union. Depuis la signature des fiançailles, j'ai plus de droits sur vous que votre père. Je dirais même que ma famille a tous les droits sur vous. C'est à mon père de décider de votre éducation, de votre lieu de résidence. Il aurait même pu vous enfermer au couvent jusqu'au mariage. Il a eu tort de vous laisser chez lord Nigel, mais je suis aujourd'hui à même de rectifier le tir. Désormais, vous aurez l'air d'une vraie jeune fille. Quitte à ce que j'intervienne en personne. Alors, souhaitez-vous mon assistance ?

Clothilde était pétrifiée. Elle ouvrit la bouche pour l'insulter, mais remarqua soudain l'air soucieux de son père. Elle se tut. Adressant à Tristan son regard le plus innocent, elle tourna les talons et regagna sa chambre.

C'était intolérable. Non seulement le monstre était dénué de toute sensibilité, mais il n'avait aucun tact. Il ne cherchait que l'affrontement. Souhaitait-il la mettre en colère pour avoir une occasion de la brutaliser à nouveau ? Certainement. Ce misérable était capable de toutes les bassesses.

# 11

Tristan sourit intérieurement. Lord Nigel avait raison. Cette petite garce allait filer droit. Ne le connaissant pas, elle ignorait ses limites. Elle ignorait aussi quels moyens il comptait employer pour régler les conflits.

Pourtant, elle ne le satisfaisait toujours pas. C'était peine perdue. Jamais elle ne lui apporterait la tendresse et la douceur qu'il attendait d'une épouse. Ne lui avait-elle pas avoué qu'elle aimait un autre homme ? Elle serait malheureuse en ménage et ne se gênerait sans doute pas pour le lui rappeler. Elle se montrait si excessive. Leur hostilité ne finirait jamais. Quoi qu'il en soit, il parviendrait à faire d'elle une dame. Jamais il n'accepterait qu'elle fasse honte à son nom et à sa famille.

Lady Jeanne le croisa puis gravit les marches, l'air préoccupé. Elle avait sans doute vu sa sœur bouleversée. Il soupira, regrettant que Jeanne ne fût pas l'aînée, car elle était charmante en tous points. Compréhensive, douce, désireuse de faire plaisir... tout le contraire de Clothilde.

Lord Nigel le pria de s'attabler, mais Tristan déclina l'invitation. Pas question de permettre à la jeune fille de s'enfuir une nouvelle fois. Cependant, la veille, Clothilde avait réussi à quitter le donjon par une autre issue...

Aussi se renseigna-t-il auprès d'un domestique avant de s'engager dans l'escalier proche de la chapelle.

La jeune fille était rusée, il fallait l'admettre, et vive. Ses réflexions l'amusaient même. Il entendit bientôt des pas légers. C'était certainement Jeanne qui redescendait, faute d'avoir trouvé sa sœur.

— On dirait que j'arrive trop tard, déclara Tristan lorsqu'elle arriva au bas des marches. Elle n'était pas là-haut, n'est-ce pas ?

— Qui ?

— Ne cherchez pas à la défendre, Jeanne. Clothilde pense donc pouvoir m'échapper une journée de plus ? Eh bien…

— Vous vous méprenez.

— Vraiment ?

Il fronça les sourcils et lui fit signe de monter.

— Dans ce cas montrez-moi…

— C'est déjà fait, répondit-elle d'un air mystérieux avant de se précipiter dans le couloir.

Tristan demeura pensif. Il n'appréciait guère les devinettes. Devait-il partir à la recherche de sa fiancée, alors qu'elle n'était certainement plus là-haut ou suivre sa sœur pour avoir le fin mot de l'histoire ?

Il se décida à suivre la dame. Il s'arrêta net en dévisageant les deux sœurs assises de part et d'autre de leur père, portant le même bliaud bleu clair en velours, la même coiffe bleue… elles étaient en tous points identiques.

Ce ne pouvait être qu'un effet d'optique. Tristan s'approcha encore, mais ne décela toujours aucune différence. Elles affichaient la même beauté ravageuse. Il remarqua que les bliauds étaient brodés, l'un de fils d'or, l'autre de fils d'argent. Quant à leurs visages, impossible de les distinguer.

Pourquoi ne s'en était-il pas rendu compte plus tôt ? Il le savait très bien : Clothilde s'affublait de hardes, même si ses chausses épousaient ses cuisses. Il était d'ailleurs agacé de constater que n'importe quel homme pouvait deviner les jambes de sa fiancée. Un teint de porcelaine se cachait sous la crasse et la boue. De plus, il était aveuglé par la colère à chacune de leurs rencontres.

Il se dirigea lentement vers l'estrade où trônait la table du seigneur, ne sachant à côté de qui prendre place. Aucune des deux ne le regardait.

Tristan, qui doutait rarement de lui, n'aimait pas ce sentiment d'impuissance. Il n'appréciait pas non plus d'être ridiculisé. Or, il ignorait que les filles de Nigel Crispin se ressemblaient autant. Son père le lui avait sans doute signalé, mais il n'y avait guère prêté attention. Il ne pouvait en tout cas s'en prendre qu'à lui-même.

Ayant une chance sur deux de faire le bon choix, il se dirigea vers le siège le plus proche de la sortie.

La jeune fille eut la gentillesse de le corriger avant qu'il ne s'installe, en lui murmurant :

— Vous êtes certain de vouloir vous asseoir à côté de moi ?

Tristan se dirigea donc vers l'autre demoiselle, qui lui chuchota :

— Je suis Jeanne, lord Tristan. Ne préférez-vous pas la compagnie de votre fiancée ?

Il rougit en entendant l'autre sœur s'esclaffer. Lord Nigel toussota, conscient de la bévue de Clothilde, sans doute habitué aux petits jeux de ses filles.

Tristan ne trouvait pas cela amusant. Il dut revenir sur ses pas. Par chance il n'avait pas remercié la première jeune fille de sa gentillesse.

Arrivé près d'elle, il souleva littéralement le banc du sol et le recula afin de pouvoir s'installer. Retenant son souffle, elle s'agrippa à la table pour ne pas tomber.

Puis elle le fusilla du regard, ce qui le consola un peu de sa gêne.

— La prochaine fois, prévenez-moi avant de déplacer le banc ! siffla-t-elle.

— La prochaine fois, ne vous faites pas passer pour une autre, rétorqua-t-il en levant les sourcils.

— Je n'ai rien affirmé, protesta-t-elle. Je vous ai simplement posé une question. Vu la façon dont vous me traitez depuis votre arrivée, je doute que vous mouriez d'envie de partager avec moi votre repas.

— Quand vous êtes vêtue en haillons, je prends garde à ne pas attraper des poux. Il n'est guère étonnant que je fasse la grimace en vous voyant.

Clothilde rougit violemment.

— Vous croyez qu'il suffit de changer de vêtements pour ne plus avoir de poux ?

— Je suppose que non, en effet, admit-il en riant. Je risque donc d'en attraper ?

— On peut toujours espérer, répliqua-t-elle.

Il ne put répondre car les cuisiniers apportaient les plats. Une domestique se glissa entre eux pour poser une épaisse tranche de pain, une autre vint servir le vin, une autre encore...

Abandonnant tout espoir de conversation avec sa fiancée, Tristan attendit qu'on les serve. Il souriait presque et s'étonnait d'avoir encore faim après sa déconvenue.

Comment aurait-il pu prévoir qu'il trouverait Clothilde Crispin pleine d'esprit. En revanche, son attitude n'avait rien d'amusant. Elle ne pouvait parler sans provoquer chez lui le rire ou la colère. Il ignorait pourquoi, car elle ne cherchait visiblement pas à le distraire. Au contraire, elle se montrait volontiers insolente.

Après tout, peut-être n'était-ce pas si grave. Mais il n'avait jamais été insulté par une femme. La gent féminine n'avait pas coutume d'être agressive.

La tradition voulait qu'il nourrisse sa dame en choisissant pour elle les meilleurs morceaux de viande avant de les lui offrir.

— Puisque vous aimez vous comporter en homme, je suggère que vous preniez ce rôle et que vous me nourrissiez, déclara-t-il lorsque les domestiques se furent retirés.

Elle lui adressa un regard empreint de curiosité avant de répondre d'un ton neutre :

— Vous êtes bien courageux de me laisser approcher mon couteau de votre visage.

Elle piqua sa lame dans un morceau de viande et le dirigea vers la bouche du jeune homme. Il saisit vite son bras pour l'écarter, mais lut le défi dans les yeux d'émeraude de Clothilde. Elle le mettait au défi de lui faire confiance après avoir sous-entendu qu'il ne devrait pas. À présent, il regrettait de l'avoir provoquée.

Il continua à soutenir son regard.

— N'oubliez pas que la plupart des actes sont en fait des réactions et ne vous montrez pas maladroite avec ce couteau. Vous pourriez vous en mordre les doigts.

— Maladroite ? railla-t-elle. Je ne parlais pas de maladresse ! Figurez-vous que cette main préférerait de loin planter sa lame dans votre visage que de vous nourrir. Je vous croyais assez intelligent pour le comprendre. Après tout, vous m'avez forcée à enfiler ces vêtements immondes.

Voilà donc la raison de sa rancœur ? Il aurait pu prévoir qu'elle ne céderait pas aussi facilement.

— Comment pouvez-vous les détester alors qu'ils vous rendent si belle ?

En prononçant ces mots, il se rendit compte à quel point c'était vrai. Elle ressemblait à la jeune fille qui l'avait enchanté, la veille, quand il avait cru que Jeanne était sa fiancée. Clothilde était aussi ravissante que sa sœur. Sauf quand elle ouvrait la bouche.

— C'est une question de confort, dit-elle. Essayez donc de vous habiller en femme et vous verrez qu'il est bien difficile de marcher, les jambes ainsi entravées.

— Vous exagérez. Les prêtres n'éprouvent pas de difficulté à se déplacer.

— Les prêtres ne vont pas à la chasse.

Le voyant rire de cette repartie, elle le considéra un moment, étonnée.

— Les femmes n'ont nul besoin de chasser, ajouta-t-il.

— Il y a besoin et besoin. Si vous me demandez de vous expliquer la différence alors c'est que vous êtes incapable de la comprendre.

— Seriez-vous en train de me dire que seule la chasse vous procure du plaisir ? Vous avez raison. Je suis incapable de comprendre, ou de vous croire.

Elle prit un air pensif.

— La plupart des hommes ne démordent jamais de leurs opinions, même si on leur sert des arguments de poids sur un plateau. Pour eux, tout est noir ou blanc, uniquement parce qu'ils le disent, du moins lors d'une discussion avec une femme. Qu'en pensez-vous ?

Il faillit éclater de rire, mais elle semblait prendre ce sujet à cœur.

— Vous exagérez, répondit-il. Pour moi, il existe mille façons de trouver le bonheur. Concentrer son plaisir sur une seule activité est stupide.

— Et si je vous affirme le contraire, vous n'en démordrez pas, n'est-ce pas ?

— J'ai l'impression que vous discuterez, quoi que je puisse vous affirmer.

— Non. Je pourrais en dire autant de vous.

— J'ai admis que les prêtres auraient du mal à chasser en soutane.

— Vous avez répliqué par l'argument que les femmes n'avaient pas besoin de chasser, de toute façon.

— Pourquoi ne pas admettre que le rôle de la femme n'est pas de trouver à manger ?

— Parce que toutes les femmes n'ont pas un homme qui leur procure leur pitance, répondit-elle.

— C'est faux ! Quand ce ne sont pas les hommes de la famille, ce sont ceux de sa belle-famille. Sinon, le roi lui trouve un protecteur.

Clothilde leva les yeux au ciel.

— Vous parlez des dames de la noblesse, qui ne sont en fait que des monnaies d'échange. Mais les femmes des villages et des villes qui perdent leurs parents ? Pourquoi se tournent-elles vers la mendicité ou la prostitution pour vivre ? Alors qu'elles pourraient apprendre à chasser ?

— Sommes-nous ici pour changer le monde ? s'enquit-il, rouge de colère. J'ignorais qu'un simple compliment sur votre beauté mènerait à une telle discussion sur les inégalités…

— Faux ! Vous ne cherchez pas à discuter, vous cherchez à trouver un écho à vos propres opinions ! lança-t-elle avec mépris. Très bien, parlons d'autre chose. La nourriture ? Le beau temps ? Ces sujets anodins vous conviennent-ils ? Au moins, nous avons des chances de tomber d'accord.

— Assez ! coupa-t-il. Taisons-nous tant que j'ai encore un peu d'appétit.

— Certainement, Tristan, concéda-t-elle avec un sourire. Moi, simple femme, je ne voudrais pas vous contrarier.

Il la foudroya du regard. Depuis le début, cette mégère ne cherchait qu'à gâcher son plaisir et avait le don de l'irriter.

# 12

Pour distraire ses visiteurs, Nigel suggéra une partie de chasse. Pas de celles qu'affectionnait Clothilde, car son père ne chassait plus qu'avec ses faucons. Selon la jeune fille, le rapace effectuait tout le travail, ce qui ôtait tout plaisir au chasseur.

Jeanne accepta de les accompagner. Elle possédait un tiercelet très docile qu'elle emmenait en de telles occasions. C'était un faucon mâle de petite taille qui n'était pas vraiment considéré comme un chasseur, rôle réservé aux femelles de l'espèce, plus imposantes et agressives.

Clothilde refusa quant à elle de se joindre à eux, jugeant qu'elle avait assez vu son fiancé pour la journée. De plus, elle n'avait pas dressé son rapace pour la chasse. Elle le traitait comme un animal domestique et l'avait baptisé Rhiska, en souvenir de celui que Tristan avait autrefois tué. La jeune fille avait tendance à le gâter un peu trop. À quoi bon aller à la chasse si elle ne pouvait y participer ?

Tristan n'était pas de cet avis. Au moment où elle s'éloignait, après le repas, il retint Clothilde par le bras.

— Vous venez aussi.

Deux ordres dans la même journée ! Pour qui se prenait-il ? La croyait-il donc incapable de prendre une décision ?

Elle n'avait pas à se justifier devant lui.

— Je préfère m'abstenir, déclara-t-elle.

Tristan ne se contenta pas de cette réponse, loin de là.

— Votre père vient de m'informer que vous sollicitez un mois de réflexion pour vous habituer à moi. Pour ce faire, vous allez devoir vous efforcer de me fréquenter assidûment. Sinon, je pourrais penser que vous n'avez nul besoin de ce délai. Et nous pourrions nous marier tout de suite.

Clothilde voulut lui répliquer que sa présence continuelle n'était pas nécessaire, mais c'était trop risqué. Entre la compagnie de Tristan et le mariage immédiat, son choix était clair.

Ils gagnèrent tous la cour intérieure du château et firent quérir les faucons et les chevaux. Clothilde dut aller chercher elle-même Flèche, son cheval, car aucun garçon d'écurie n'osait l'approcher.

Tous les habitants de Dunburgh savaient comment Clothilde avait acquis ce puissant destrier. C'était d'ailleurs un souvenir déplaisant pour la jeune fille. Le cheval appartenait à un chevalier en visite au château, qui le maltraitait cruellement. Un jour, il le frappa une fois de trop.

L'animal devint fou et tenta de tuer son maître sous les yeux de la jeune fille. Furieux, le chevalier ordonna qu'il fût abattu. Clothilde intervint en sa faveur, affirmant pouvoir le dresser. Naturellement, le chevalier s'était moqué d'elle, mais lui avait cédé la bête.

Il fut vite impressionné par la façon dont Clothilde maîtrisait sans peine le cheval récalcitrant. Malgré ses réticences, elle avait même proposé de le rendre à son propriétaire, que Nigel envisageait d'engager au château. Par fierté, l'homme refusa et quitta Dunburgh sur-le-champ.

Lord Nigel en voulut énormément à Clothilde car il comptait sur ce valeureux chevalier. Plus tard, il présenta des excuses à sa fille car cet homme se révéla malhonnête et il trahit son nouveau seigneur.

Depuis ce jour, Clothilde se méfiait de toute personne faisant preuve de cruauté. Selon elle, son fiancé entrait dans cette catégorie d'êtres indésirables.

Elle mit un certain temps à seller elle-même son cheval, qui n'avait pas l'habitude de porter une femme en bliaud. Certes, elle avait enfilé ses chausses, de façon à monter à califourchon. Tristan n'aurait rien à redire car ses jambes demeuraient en grande partie dissimulées sous le velours bleu du bliaud.

Le destrier était si imposant qu'elle dut se servir d'un marchepied. Tandis qu'ils quittaient enfin les écuries, la jeune fille lui parla doucement pour éviter qu'il ne s'affole au milieu des autres cavaliers. Soudain, quelqu'un la fit descendre de cheval et se mit à crier.

— Vous êtes complètement folle ?

Les pieds de Clothilde ne quittèrent pas assez vite les étriers. Le métal lui meurtrit les chevilles à travers le cuir de ses bottes. Le bras qui lui enserrait la taille bloquait sa respiration. Elle mit plusieurs secondes à se rendre compte que ce preux chevalier avait sans doute l'impression de lui sauver la vie. La jeune fille leva les yeux au ciel.

— À mon avis, votre père aurait dû vous faire enfermer depuis longtemps, fit une voix furieuse. Jamais je n'ai rien vu d'aussi insensé !

Tristan appela aussitôt un garçon d'écurie.

— Ramène ce cheval, et vite ! lui ordonna-t-il.

La jeune fille savait que le jeune garçon n'obéirait pas à cet ordre. Tristan le comprit à son tour en voyant tous les serfs le dévisager, les yeux écarquillés d'effroi.

Il déposa la jeune fille à terre et la força à le regarder dans les yeux.

— Comment diable avez-vous réussi à approcher un cheval de guerre aussi impressionnant sans vous faire piétiner ?

— Peut-être parce qu'il m'appartient, rétorqua-t-elle aussi calmement que possible.

Tristan n'en crut pas un mot. Il se retourna, décidé à reconduire lui-même le cheval, quand il se rendit compte que l'animal s'était rapproché de lui, cherchant la présence de Clothilde. Un peu surpris de cette familiarité, il tendit la main pour saisir les rênes.

— Non ! hurla Clothilde.

Effrayé, Flèche tenta de mordre la main de cet homme qu'il ne connaissait pas.

Celui-ci jura, brandissant le poing pour corriger l'animal. Clothilde perdit son sang-froid et s'interposa entre l'homme et le cheval. Flèche posa la tête sur l'épaule de la jeune fille qui le réconforta en lui flattant l'encolure.

— Plus jamais je ne vous laisserai brutaliser l'un de mes animaux ! lança-t-elle à son fiancé, hors d'elle, se moquant de la présence de tiers. Quand je vous dis qu'un animal m'appartient, je ne mens pas. C'est vous qui avez perdu la raison, pas moi. Si je peux monter ce cheval, comme je viens de le faire, c'est qu'il me connaît et m'obéit. C'est logique, non ?

Tristan ne pouvait nier cette évidence, car il en avait eu la preuve flagrante. Il n'était pas apaisé pour autant. Aussi se tourna-t-il vers Nigel, venu aider sa fille à monter en selle.

— Pourquoi la laissez-vous approcher des animaux aussi dangereux ? demanda-t-il.

Un peu gêné, Nigel l'emmena un peu à l'écart avant de lui répondre.

— Ils ne représentent aucun danger pour elle. Je vous ai expliqué que Clothilde avait un don avec les animaux. Quelle que soit l'espèce, elle est capable de les apprivoiser. Ce superbe cheval lui est entièrement dévoué. Quant à vous, il faudra le traiter avec une grande prudence. Seule Clothilde sait lui parler.

La jeune fille tremblait encore sous le coup de la colère. Tristan recommençait ses basses manœuvres. Il n'aimait pas les animaux. Il ne savait que les tuer ou les battre. Épouser ce monstre de cruauté ? Jamais !

# 13

— Tu n'aurais pas dû parler sur ce ton à ton fiancé devant ses hommes, Clothilde.

Jeanne s'approcha, montée sur son petit palefroi, restant tout de même à l'écart de l'impressionnant destrier. Les deux sœurs avaient un peu de retard sur leurs compagnons de chasse, aussi pouvaient-elles discuter à cœur ouvert sans se soucier des oreilles indiscrètes.

— Mettre ce goujat dans l'embarras est le cadet de mes soucis ! répliqua la jeune fille.

— Tu as tort. Certains hommes ne supportent pas d'être humiliés en public. Ils cherchent même à se venger pour sauver la face. Or, nous ignorons si Tristan est rancunier.

Clothilde fronça les sourcils. Plusieurs chevaliers avaient en effet assisté à leur altercation, dont le frère de Tristan, Bertrand. Tristan avait certainement accusé le coup, à moins que sa colère n'ait pris le dessus.

— Selon toi, j'aurais dû le remercier de vouloir corriger Flèche ? reprit Clothilde.

— Bien sûr que non. Tu aurais simplement dû t'assurer qu'il n'y avait pas de témoins avant de lui faire des remontrances et des réflexions désobligeantes.

— Désobligeantes ! répéta Clothilde avec un sourire sarcastique. Dans ce cas, je vais devoir passer mon temps à chuchoter à son oreille.

— Tu plaisantes, dit Jeanne, mais essaie donc de modérer tes propos. Il est plus facile pour une femme de ravaler sa fierté que pour un homme.

— Ah bon ? J'aurais juré le contraire, car notre gorge est plus étroite.

— Décidément, tu ne prends rien au sérieux aujourd'hui ! Je voulais…

— Inutile de me prodiguer tes précieux conseils. Ils ne seront que lettre morte, coupa Clothilde. J'ai suffisamment de mal à ne pas éclater en sanglots en songeant à ce monstre que je vais épouser.

— Tu es vraiment malheureuse ? s'enquit Jeanne, les yeux écarquillés.

— En l'espace de quelques heures, Tristan m'a menacée des pires représailles si je ne m'habillais pas à son goût, puis il m'a forcée à participer à cette maudite partie de chasse. Il me manipule comme une marionnette, et je devrais être heureuse ?

Jeanne se dit que Clothilde ressentait en réalité plus de colère que de tristesse.

— Tu as l'habitude d'agir à ta guise car père cède à tous tes caprices. Je te préviens : il n'en sera jamais de même avec un mari, quel qu'il soit.

— C'est faux. Roland ne me traiterait pas de la sorte.

— C'est normal. Les amis ne donnent pas d'ordres… mais une fois mariés… Clothilde, ne te berce pas d'illusions. Roland chercherait à te dompter, comme les autres. Il serait peut-être plus clément en apparence, mais ne pourrait s'empêcher de tout régenter. Le mariage ne fait pas de la femme l'égale de l'homme qu'elle épouse. Elle passe simplement d'une tutelle à une autre.

— Comment peux-tu accepter ce sort funeste ? demanda Clothilde avec amertume.

— Nous n'avons guère le choix. C'est la vie.

Depuis sa plus tendre enfance, Clothilde n'avait que mépris pour la féminité que la nature lui avait donnée. Pour elle, toute femme adulte était capable de raisonnement logique. Elle devrait mener sa vie à sa guise, comme un homme. La force physique n'allait pas de pair avec l'intelligence ou le bon sens, même si telle était l'opinion des hommes.

— Durant les quelques mois de votre mariage, William a-t-il profité de son autorité pour te donner des ordres à longueur de journée ? demanda Clothilde.

— William m'aimait, répondit sa sœur avec un sourire empreint de nostalgie. Il faisait tout son possible pour me faire plaisir. L'amour, voilà la clé du bonheur.

— Comment pourrais-je vouloir être aimée de Tristan de Thorpe ? commenta Clothilde.

— Justement, il vaudrait mieux qu'il t'aime. Il chercherait ainsi à te satisfaire et tu jouirais d'une plus grande liberté. Tu ne le comprends donc pas ? Je n'affirme pas que tu devrais l'aimer en retour, mais il te serait très utile de lui inspirer de l'amour.

— Peut-être, si j'étais obligée de l'épouser, mais je compte encore échapper à ce mariage. Père m'a accordé un mois de répit. Il est persuadé que je vais changer d'avis sur Tristan, mais il se trompe.

— En effet, si tu n'es pas disposée à faire le moindre effort, déclara Jeanne avec un soupir las.

Clothilde se raidit imperceptiblement.

— Tu veux donc que je l'épouse ?

— Non, mais, contrairement à toi, je suis convaincue que ce mariage aura lieu, alors autant que tu y trouves le bonheur. Père s'est-il engagé à déchirer le contrat si, dans un mois, tu n'aimais toujours pas Tristan ?

— Pas exactement, mais il m'a promis d'en discuter.

— À mon avis, père est certain que tu changeras d'avis. Ne l'oublie pas. Efforce-toi de considérer Tristan sous un jour meilleur, dans ton propre intérêt.

— Le soleil le plus éclatant n'y suffirait pas, je le crains.

— Il doit bien y avoir quelque chose en lui qui te plaise ? Tristan a de très beaux yeux bleus et un visage très avenant. De plus, il n'a ni les dents gâtées, ni l'haleine fétide. Il est jeune, mince, musclé. Assurément, il est fort bien de sa personne…

— Tant qu'il ne parle pas et ne brandit pas le poing, coupa Clothilde. Il devient alors aussi répugnant qu'un rat.

Jeanne secoua la tête, rendant les armes.

— Tu parviens à dompter les bêtes les plus sauvages, à les faire manger dans ta main. Pourquoi ne pas en faire autant de ce preux chevalier ?

Sa sœur en demeura coite. Cette idée ne l'avait en effet jamais effleurée.

— Dompter Tristan ?

— Oui, tu feras de lui ce que tu veux.

— Mais ce n'est pas un animal.

— À en croire ta description, on le jurerait, pourtant ! répliqua Jeanne en levant les yeux au ciel.

— J'ignore comment je m'y prendrais, si je le voulais. Or, ce n'est pas le cas.

— Ne donnes-tu pas aux animaux ce dont ils ont le plus besoin ? La confiance, la compassion, une main douce et rassurante…

— Cet homme n'a nul besoin de compassion, ni de confiance. D'ailleurs, il ne sentirait guère la douceur de ma main si je le giflais.

— Est-ce là ta conception de la douceur ?

— Non. Je me demandais à quoi bon être douce envers un être qui est incapable de s'en rendre compte. Par quel moyen l'apprivoiser ?

Jeanne haussa les épaules, puis esquissa un sourire mystérieux.

— William me disait souvent qu'un homme a besoin d'une femme à la croupe rebondie et sensuelle dans son lit pour être heureux !

— Jeanne !

— Eh bien, c'est vrai.

— Et cela suffisait pour le rendre heureux ? demanda Clothilde, incrédule.

— Non. Mon mari appréciait ma compagnie, ma conversation. Il était très amoureux de moi. Si tu refuses l'amour de Tristan, contente-toi de lui fournir le nécessaire et tu rendras sa vie plus agréable.

Clothilde sourit à sa sœur.

— J'apprécie tes conseils avisés. Ils pourront m'être utiles si je suis obligée de partager son existence. Mais je préférerais que ce jour n'arrive jamais. Comment vivre avec un homme qui risquerait à tout moment de me battre ? Je sais qu'il a parfois des réactions violentes.

— Son comportement peut s'améliorer. Il suffit de l'apprivoiser.

— Peut-être, mais la violence n'est pas son unique défaut. Tristan semble déterminé à me dompter, à me modeler à sa guise. Comment vais-je supporter ces contraintes sans dépérir à petit feu ?

— Il doit exister une solution intermédiaire, assura Jeanne.

Sa sœur eut une moue sceptique.

— Cela impliquerait que nous soyons égaux. Or, tu disais toi-même que l'homme et la femme ne le sont pas. Je ne compte pour rien.

Jeanne ne répondit pas. Elle savait combien sa sœur regrettait d'être une femme et ne trouvait aucun argument pour lui faire accepter son sort.

Toute femme était d'abord à la merci de son père, puis de son mari. C'était ainsi depuis la nuit des temps. Celles qui osaient s'opposer à cette loi de la nature ne trouvaient que le malheur.

# 14

Ils firent halte dans une clairière pour lâcher les faucons. À cette époque de l'année, les proies n'abondaient guère. Mais les rapaces ne tarderaient pas à repérer quelque créature et à fondre dessus.

Quel spectacle passionnant pour un chasseur que celui du faucon majestueux en pleine action ! Si Clothilde préférait faire appel à ses propres talents de chasseresse, elle n'en appréciait pas moins la précision du terrible prédateur.

Les chevaliers de Dunburgh disposaient de leurs propres faucons, mais pas leurs visiteurs, car Tristan et ses hommes n'avaient pas prévu d'aller à la chasse.

Tout membre de la noblesse, homme ou femme, possédait des faucons. Certains rapaces étaient si chers à leurs maîtres que ceux-ci ne s'en séparaient jamais. Souvent, ils étaient même acceptés à table, où les convives leur réservaient les plus beaux morceaux de viande. Un faucon de valeur passait son temps au poing de son maître ou sur le dossier de son siège.

À l'instar de Clothilde, Tristan se contenta donc d'admirer le spectacle. Étrangement, la jeune fille se surprit à observer plus souvent son fiancé que les chasseurs.

Si seulement Jeanne ne lui avait pas fait remarquer combien il était beau ! Elle ne pouvait le nier. Ses traits réguliers et virils, ses joues rasées à la manière des Normands… Le roi Jean, lui, portait la barbe, comme la plupart de ses barons. Pas Tristan.

Le jeune homme avait aussi les cheveux un peu plus longs que de coutume. En fait, comme les siens, ils lui arrivaient aux épaules. Clothilde en fut troublée. Elle ne pouvait qu'admirer son épaisse crinière de jais.

Sur son superbe étalon noir, Tristan était d'une élégance à couper le souffle. Sa longue cape grise couvrait la croupe du cheval. Tristan se tenait bien droit, ce qui accentuait ses épaules larges et sa taille fine.

Jeanne avait raison. Sous la tunique noire, on devinait le corps musclé du jeune homme. Même ses bottes semblaient trop étroites pour contenir ses jambes puissantes.

Certes, il était très beau. Dommage qu'il soit odieux. Clothilde savait qu'il était illusoire d'espérer épouser un homme qui réserverait sa violence au champ de bataille. Pourtant, Roland lui convenait à merveille, pas Tristan.

Celui-ci dut sentir l'insistance de son regard car ses yeux bleus se posèrent soudain sur elle. Il se mit à la scruter avec la même attention.

Clothilde voulut détourner le regard, mais en fut incapable. Tout à coup, elle ne ressentit plus le froid. Elle eut même très chaud… Cette réaction incontrôlable la terrorisa. En la voyant s'envelopper dans sa cape, Tristan parut amusé, sachant qu'il était à l'origine de son trouble.

Alors il s'approcha d'elle. Il avait mis du temps à la rejoindre, lui qui insistait tant sur sa présence à ses côtés. Il l'avait même ignorée depuis leur départ du château.

Il préférait demeurer à distance de Flèche. Toutefois, son étalon semblait attiré comme un aimant par la main

caressante de Clothilde, malgré les efforts de son cavalier pour le retenir.

Clothilde entendit son fiancé pousser un juron.

— Seigneur ! Qu'avez-vous encore fait à mon cheval ?
s'exclama-t-il.

— Rien. Nous sympathisons, rien de plus, répondit-
elle en souriant à l'animal.

Flèche se contenta de regarder dans sa direction pour
s'assurer que la jeune fille n'était pas en danger.

— Vous avez le don d'ensorceler les bêtes.

Clothilde eut une moue de mépris qu'elle regretta aussitôt. Mieux valait que Tristan la considère comme une
sorcière. S'il la croyait dotée de pouvoirs surnaturels, il
se montrerait peut-être moins exigeant envers elle. Cette
perspective n'était pas pour lui déplaire.

— Elles savent simplement que je ne leur veux aucun
mal. Votre étalon pense-t-il la même chose de vous ?

— Pourquoi lui ferais-je du mal ?

— Vous venez de lui en faire, répliqua-t-elle. En
essayant de l'écarter de moi.

Il rougit.

— Vous commencez à abuser de ma patience.

Clothilde hocha la tête, pensive. Puis elle sourit. La
mine de Tristan se renfrogna aussitôt. Peut-être avait-
elle tort de le provoquer, mais elle ne pouvait résister à la
tentation.

Tristan voulut une nouvelle fois éloigner son étalon,
moins brutalement, mais en vain.

— Lâchez-le ! ordonna-t-il à Clothilde.

— Je ne le retiens pas, répondit-elle posément. Si vous
lui demandiez pardon, en lui témoignant votre affection,
il vous obéirait.

Avec un grommellement d'impatience, Tristan mit
pied à terre et emmena son cheval. Clothilde réprima
avec peine son amusement en le voyant en difficulté.

— N'oubliez pas de vous excuser ! lui lança-t-elle.

Il l'ignora, du moins en apparence, mais prononça quelques mots à l'oreille du cheval. Sans doute des menaces de représailles, songea la jeune fille.

Au bout de quelques minutes, le jeune homme remonta en selle et s'approcha de Clothilde, tout en gardant ses distances. Il prit soin de détourner la tête de son cheval pour qu'il ne voie pas la jeune fille.

La manœuvre se révéla efficace car le chevalier se détendit. Clothilde remarqua alors qu'elle dominait son fiancé en hauteur, même à une certaine distance, grâce à la taille imposante de son destrier.

Manifestement, le jeune homme n'appréciait guère de devoir lever les yeux vers elle.

Perverse, Clothilde se tint bien droite, gagnant encore quelques centimètres. Écœuré, Tristan fit volter son cheval pour s'éloigner.

Tout à coup, elle ne put réprimer un cri.

Une douleur fulgurante lui traversa le bras. Elle entendit siffler une flèche, qui continua sa course pour se planter dans un tronc d'arbre. Incrédule, la jeune fille vit du sang filtrer sous sa cape.

À la vue de la blessure, Tristan réagit sans tarder. Il fit descendre la jeune fille de cheval et l'attira dans ses bras, l'enveloppant dans sa propre cape.

— Aux armes ! cria-t-il pour alerter ses chevaliers.

Clothilde chercha à s'échapper de son emprise. En vain. Elle se sentait un peu étourdie. Le cheval se lança à vive allure. À chaque galop, sa blessure était plus douloureuse.

Lorsqu'ils atteignirent enfin le pont-levis, Clothilde ne ressentait plus rien. Pour la première fois de sa vie, elle s'évanouit, non pas de douleur, mais parce qu'elle avait perdu beaucoup de sang. Enveloppée dans la cape de Tristan, elle ignorait encore la gravité de sa blessure.

# 15

— Pourquoi le médecin tarde-t-il autant à venir ? s'emporta Tristan, les nerfs à fleur de peau.

— Peut-être parce que personne ne l'a fait quérir, répondit Jeanne.

— C'était pourtant la première chose à faire ! Veuillez vous en charger tout de suite.

Sentant leur présence à son chevet, Clothilde voulut ouvrir les yeux. Mais elle n'en eut pas la force. Non seulement la tête lui tournait, mais un bourdonnement continuel lui emplissait les oreilles. Et elle avait sommeil… Il fallait qu'elle dorme pour reprendre des forces, mais la douleur qui lui tenaillait le bras la maintenait éveillée.

— Si cet homme se présente, je lui barrerai le passage, répliqua Jeanne. Cet incapable ne peut rien de plus pour ma sœur. Regardez-la ! Elle a déjà perdu tant de sang ! Une saignée ne ferait qu'aggraver son état.

— Balivernes…

— Pensez ce que vous voulez, mais ma sœur et moi savons d'expérience que si une saignée peut guérir certaines affections, elle est sans effet sur les blessures et les plaies. Par ailleurs, Clothilde a une sainte horreur des sangsues. Elle vous en voudrait à mort de lui imposer leur contact répugnant alors qu'elle n'a même pas la force de les arracher de sa peau.

— Je n'ai que faire de sa reconnaissance, je veux qu'elle guérisse, rétorqua Tristan d'un ton cassant.

— Dans ce cas, laissez-moi m'occuper d'elle. Si vous voulez absolument vous rendre utile, racontez à mon père que ce n'est qu'une égratignure et que Clothilde a simplement besoin de quelques jours de repos.

Il parut hésiter un instant, puis déclara :

— Vous me promettez de me tenir au courant de son état de santé ?

— Absolument.

— J'aimerais aussi la voir à son réveil, ajouta-t-il.

— Vous la verrez dès qu'elle acceptera votre présence à son chevet.

— Je me passerai de sa permission ! Prévenez-moi, un point c'est tout.

Tristan referma la porte avec fracas, contrarié par l'attitude inhabituelle de la douce Jeanne. Clothilde ne parvenait toujours pas à ouvrir les yeux, mais elle marmonna :

— Non... ne le préviens pas...

Jeanne posa la main sur son front et lui murmura doucement à l'oreille.

— Chut... il faut dormir. Jamais je ne songerais à troubler ton sommeil.

— Et... lui ?

— Je veillerai à ce qu'il ne te dérange pas. À présent, courage. Tu as de la chance, tu sais. J'ai pu te recoudre alors que tu étais inconsciente. Mais je dois à présent panser la plaie.

— Combien... de points ?

— Six. J'ai fait très attention.

Clothilde sourit faiblement, confiante dans les soins attentifs de sa sœur.

Au moment de sombrer dans le sommeil, elle parvint à demander dans un dernier effort :

— L'ont-ils capturé ?

— Non, pas encore. Quand j'ai quitté la clairière, père lançait des hommes à sa recherche. Il est furieux. Comment un chasseur a-t-il pu être aussi maladroit ?

— ... pas un chasseur... ni un accident... a voulu... me tuer.

— Tristan a posté des gardes devant la porte. Ne crains rien, il ne cherche pas à te garder prisonnière. Il veut seulement empêcher tout intrus d'entrer, murmura Jeanne. Tu vois, il a pris tes paroles au sérieux.

Clothilde se redressa dans son lit, où elle venait de passer trois jours interminables. Elle se sentait à présent rétablie, hormis la douleur qui subsistait.

— Mes paroles ? Quelles paroles ?

— Le jour où tu as été blessée, tu as affirmé qu'il ne s'agissait pas d'un accident, expliqua Jeanne. J'en ai parlé à notre père en présence de Tristan. Ils sont tous deux d'accord avec toi. Ce ne peut être une coïncidence si peu de temps après l'agression dont nous avons été victimes dans les bois.

— Je n'y avais même pas songé, répondit-elle. Je connais bien nos chasseurs, ainsi que ceux de nos voisins. Ils sont tous très prudents. De plus, aucun d'eux n'oserait s'aventurer sur le même terrain que notre père. Nous faisions assez de bruit pour être remarqués.

— Cette histoire me tourmente, avoua Jeanne en se tordant les mains. Cette menace qui pèse sur toi me révolte. Qui peut te vouloir du mal ? Tu n'as aucun ennemi.

— Moi non, mais Tristan... et comment lui faire plus de tort qu'en me supprimant afin de l'empêcher de mettre la main sur ma fortune ?

— Je n'y crois guère. C'est trop compliqué, répondit Jeanne en secouant la tête avec vigueur. Il est plus facile d'éliminer ses ennemis. Or, Tristan n'a pas été agressé, du moins pas à notre connaissance.

— Les problèmes ont commencé dès son arrivée, releva. Clothilde. S'il ne s'agit pas de l'un de ses ennemis, il ne peut s'agir que d'une agression organisée par Tristan lui-même.

— Comment peux-tu penser une chose pareille ! s'exclama Jeanne, outrée.

— Pourquoi pas ? Ne m'a-t-il pas déclaré qu'il aimait une autre femme ? Il a demandé à son père de rompre les fiançailles, sans plus de succès que moi. En m'éliminant, il obtient gain de cause, non ?

— Lord Guy est un homme d'honneur. Il a certainement inculqué ses valeurs à son fils. C'est absurde de le croire capable de meurtre.

Clothilde haussa les épaules.

— Les gens se comportent parfois bizarrement par amour, dit-elle. Mais je suis d'accord avec toi. Voilà pourquoi je pense plutôt à un ennemi de Tristan. Reste à découvrir son identité.

— Il y a autre chose, fit Jeanne d'un air pensif.

— Autre chose ?

— Tristan est convaincu qu'il ne peut te protéger ici. Selon lui, Dunburgh est trop vaste, il compte trop de mercenaires. Ces hommes ne sont pas toujours d'une grande loyauté. Ils se vendent au plus offrant.

— Tu parles de trahison ?

— Pas moi, lui. Je ne fais que répéter ce qu'il a expliqué à notre père. Par contre, Shefford est dirigé par des chevaliers qui ont juré allégeance au comte. Il n'y a pas de mercenaires, simplement des hommes qui lui sont fidèles depuis de nombreuses années. En d'autres termes, Tristan connaît tout le monde. Ici, beaucoup accepteraient de se corrompre pour tuer.

— Et père a cru à ce raisonnement ? fit Clothilde, un peu sceptique.

— Il ne le rejette pas. Il est vrai que Dunburgh attire de nombreux étrangers. Enfin voilà : nous partons pour Shefford dès demain.

— Comment ? J'ai obtenu un mois de répit. Père ne peut revenir sur sa promesse…

— Tu conserves ce mois de réflexion, mais tu séjourneras là-bas.

Clothilde fronça les sourcils, furieuse que l'idée fût de Tristan.

— Tu as dit « nous » ?

— J'ai raconté à père que tu n'étais pas encore assez vaillante pour voyager sans moi. Il n'a accepté que tu partes que si je t'accompagnais, expliqua Jeanne avec un sourire radieux.

— Merci, répondit sa sœur en lui prenant la main. Mais si tu faisais semblant d'être malade, toi aussi, nous pourrions rester à la maison.

— Quelle différence ? Tu conserves ton mois de répit, de toute façon.

— Shefford est le domaine des Thorpe. Je ne m'y sentirai pas chez moi.

— Tu ne seras bien nulle part où Tristan est présent. Je me trompe ?

— Non, concéda Clothilde avec un soupir. Si nous partons demain, tu devrais préparer nos malles.

# 16

— Qu'est-ce donc ?

Clothilde suivit le regard interrogateur de Tristan tandis que les serviteurs apportaient quatre cages de tailles différentes. Le convoi se trouvait dans la cour intérieure. Il fallut deux charrettes pour transporter toutes les affaires que les sœurs jugeaient nécessaires à leur séjour à Shefford. Ne manquaient plus à l'appel que les animaux domestiques de Clothilde.

La jeune fille était très fière des cages en bois qu'elle avait confectionnées elle-même lorsqu'elle était enfant. Autrefois, en partant pour Fulbray, elle avait refusé d'abandonner ses amis. Pas question de les laisser cette fois-ci non plus.

— Mes animaux voyagent mieux en cage, répondit Clothilde à son fiancé.

Les yeux bleus de Tristan se posèrent sur la jeune fille, installée à l'arrière d'une des charrettes.

— Vous en emmenez quatre ?

— Non, admit-elle. Il y en a davantage, mais seuls ceux-là voyagent ainsi.

— Une chouette ? fit-il en examinant le contenu d'une des cages. Quelle idée d'apprivoiser une chouette !

— C'est plutôt elle qui m'a adoptée. Un jour, elle m'a suivie jusqu'à la maison et a semé la pagaille dans la cour jusqu'à ce que je daigne m'intéresser à elle.

— Quoi ?

Il s'interrompit, préférant ne pas entrer dans les détails, et s'intéressa aux autres cages. En voyant une poule, il ne put s'empêcher de lui demander :

— Vous redoutez que je ne vous nourrisse pas, alors vous vous munissez de vos provisions, c'est cela ?

— Comment osez-vous suggérer une chose pareille ! protesta-t-elle, choquée. Roussette est mon amie depuis qu'elle est un poussin. Pas question de la manger !

— Les poules ne sont pas des animaux de compagnie ! décréta-t-il, exaspéré.

— Celle-ci, oui ! rétorqua Clothilde sur le même ton.

— Et cette boule de poils ? Puis-je vous demander de quoi il s'agit ?

Elle se mit à rire, aussi amusée par l'incrédulité de Tristan que par son agacement.

— En fait, ce n'est pas de la fourrure, mais des épines. Je vous présente mon hérisson. Je l'appelle Dormeur car c'est là son activité favorite.

Affligé par ce comportement puéril, Tristan leva les yeux au ciel, puis fronça les sourcils en reconnaissant Flèche, harnaché à la charrette. Tout à coup, il aperçut un museau humide qui se glissa sous le bras de la jeune fille pour voir à qui elle s'adressait.

— Un loup ? Vous avez apprivoisé un loup ? s'exclama-t-il.

— Grognon est totalement inoffensif. Il ne ferait pas de mal à une mouche.

— Pourquoi diable s'appelle-t-il Grognon ?

Le loup choisit cet instant pour se mettre à grogner.

— Il n'a pas toujours été aussi gentil, avoua la jeune fille avec un sourire. Il ne supporte pas que les gens me parlent sur un ton agressif.

— Je ne suis pas agressif ! Je pourrais le devenir, mais je ne le suis pas !

— J'entends bien, répondit-elle tranquillement.

— Pas question d'emmener cette ménagerie. Ces bêtes restent ici, décréta Tristan.

— Alors je reste aussi, décréta Clothilde.

— Je refuse de discuter.

— Moi aussi.

Jeanne intervint :

— Les animaux de ma sœur ne poseront aucun problème durant le voyage, assura-t-elle. Franchement, Tristan, vous ne remarquerez même pas leur présence. Ne la forcez pas à se séparer d'eux car elle y est très attachée. Elle les protège et les soigne comme des enfants.

Le jeune homme voulut protester, mais se ravisa, adressant un sourire à Jeanne. Ce n'était pas la première fois que Clothilde le voyait sourire à sa sœur, mais elle ne s'en était jamais vraiment souciée.

Il était pourtant manifeste que Tristan aurait de loin préféré épouser Jeanne. Peut-être sa sœur accepterait-elle de prendre sa place ? Ce serait un secret et tout le monde n'y verrait que du feu.

Tandis qu'elle commençait à envisager cette solution, l'image de Tristan et Jeanne dans les bras l'un de l'autre naquit dans son esprit. Elle crut recevoir un coup de poignard en plein cœur. Troublée, elle chassa vite ce sentiment puis rejeta complètement ce projet insensé. C'était une mauvaise idée. Comment souhaiter pour sa sœur un compagnon aussi tyrannique et brutal ?

Tristan se détourna un instant des deux jeunes femmes pour répondre à la question de l'un de ses hommes. Quand il revint vers elles, des serviteurs chargeaient les cages sur la charrette de Clothilde. Il poussa un soupir agacé, mais ne fit aucun commentaire.

Avant de s'éloigner, il posa une question qui surprit Clothilde :

— Vous êtes certaine d'être en état de voyager ?

Elle lui assura que oui et il donna vite le signal du départ. D'abord, Clothilde crut qu'il se souciait de sa santé et en fut troublée. Puis son bon sens reprit le dessus. En fait, il ne voulait certainement pas qu'elle leur fasse perdre un temps précieux.

Les deux charrettes de bagages, en revanche, retardaient le convoi. Le trajet durerait sans doute deux bonnes journées, d'autant plus qu'il se mit à neiger en fin d'après-midi. Ce n'était pas une véritable tempête, mais la température chuta, rendant leur progression pénible.

Enveloppées dans leurs épaisses capes, emmitouflées sous des couvertures, les deux sœurs avaient toutes les peines du monde à se protéger du froid humide. Les cavaliers souffraient également. Aussi Tristan décida-t-il de faire halte plus tôt que prévu à l'abbaye de Nordwich. Les moines ne pouvaient héberger tout le monde, mais leur étable était bien abritée. Les femmes et les chevaliers furent installés dans les cellules des frères.

Jeanne et Clothilde soupèrent dans leur chambre afin de ne pas imposer leur présence aux hommes d'Église. Les voyageurs se retirèrent vite car Tristan voulait partir à l'aube.

À peine remise de sa blessure, Clothilde était plus fatiguée qu'elle ne voulait l'admettre. Elle aurait préféré repousser le voyage de quelques jours, du moins jusqu'à ce qu'elle n'ait plus mal au bras. Heureusement, elle s'endormit rapidement, épuisée.

# 17

Clothilde se réveilla brusquement en pleine nuit, en proie à un malaise soudain. Il se passait quelque chose d'anormal. Cette crainte l'empêcha de se rendormir.

Elle éprouva le besoin de vérifier que sa sœur et elle étaient bien seules dans la cellule de moine. Elle était dépourvue de fenêtre et il faisait trop sombre pour apercevoir ce qui se passait dans la pièce. Le feu de cheminée n'était plus qu'un tas de cendres rougeoyantes et la chandelle s'était éteinte depuis longtemps.

Sachant qu'elle ne trouverait le repos qu'après avoir inspecté la pièce, elle prit le chandelier et se leva en bousculant sa sœur au passage, s'efforçant de ne pas la réveiller. Puis elle alla allumer sa bougie dans les braises.

Elle s'attendait à ne rien découvrir de particulier. Son imagination fertile lui jouait sans doute des tours. Aussi, c'est avec effroi qu'elle découvrit un homme imposant, armé d'un poignard, posté au pied du lit.

La jeune fille ne le connaissait pas. Difficile d'oublier un tel personnage, avec cette affreuse balafre qui lui barrait la joue, traçant un sillon dans sa barbe naissante. Il venait d'entrer dans la pièce, car de la neige fondue couvrait sa toque de laine et ses larges épaules.

Réveillée par les mouvements de sa sœur, Jeanne demeura immobile dans le lit. Mais dès que la lumière de la chandelle éclaira l'intrus, elle se redressa d'un bond.

Le regard noir de l'individu ne pétillait guère d'intelligence. Restait à déterminer ce qu'il voulait aux deux sœurs. Pour l'heure, il semblait déconcerté.

— Laquelle de vous est l'aînée ? s'enquit-il, visiblement troublé par la ressemblance des deux jeunes femmes.

— C'est moi ! s'exclama aussitôt Clothilde, voulant protéger sa sœur.

Mais Jeanne, comprenant elle aussi les sombres desseins de ce visiteur nocturne armé d'un poignard, fit la même réponse. L'homme émit un grognement de colère.

— Je veux la vérité ou vous mourrez toutes les deux ! Ce serait dommage, non ?

Clothilde ne savait comment se sortir de ce mauvais pas. Décidément, la protection de Tristan laissait à désirer, et elle ne se gênerait pas pour le lui dire à la première occasion. Au moins, dans sa propre chambre, elle aurait été en sécurité. Son loup et son faucon auraient dépecé quiconque se serait attaqué à leur maîtresse. Pour l'heure, les deux animaux étaient à l'étable, d'où ils ne pouvaient rien pour elle.

Frêles et désarmées, les deux jeunes femmes ne pouvaient se battre contre cet homme. Clothilde avait laissé son arc et ses flèches dans la charrette, jugeant qu'une arme était inutile dans une abbaye.

Il ne lui restait qu'à amadouer leur agresseur.

— J'aimerais vous engager à mon service, brave homme, dit-elle. Vous serez grassement payé.

— M'engager ? fit l'inconnu, perplexe.

— Oui. Pour assurer notre protection. Vous êtes de toute évidence assez intelligent pour comprendre où réside votre intérêt. À moins que vous ne soyez qu'un misérable serf aux ordres de quelque seigneur ?

Il rougit en entendant son ton méprisant.

— Je suis un homme libre !

— Alors vous veillez vous-même à votre propre intérêt ?

— Recherchez-vous le gain ?

Clothilde avait réussi à éveiller sa curiosité. Mais il dut réfléchir aux conséquences d'une trahison car il prit aussitôt un air effrayé. Puis il se ressaisit et redevint menaçant, résolu à accomplir sa vile mission.

— L'honneur et la loyauté valent plus que l'argent, déclara-t-il pour se rassurer.

— Ces qualités ne nourrissent pas leur homme et ne lui apportent pas la fortune, insista-t-elle.

— À quoi bon être riche si l'on ne peut pas en profiter ? répliqua l'inconnu.

— Nous y voilà ! Vous avez tout simplement peur de votre employeur, railla-t-elle.

Il s'empourpra de nouveau, de colère, cette fois.

— Je crois que je vais faire ce travail avec un grand plaisir, gronda-t-il en la regardant dans les yeux.

Puis il se rappela qu'elles étaient deux. Il se retrouvait face à un véritable problème. Clothilde imaginait sans peine ses pensées. L'une d'elles risquait de s'échapper pendant qu'il réglait son compte à l'autre. Et ce serait peut-être sa cible.

Profitant de son hésitation, elle demanda :

— Qui vous envoie ? Quel est son nom ?

— Vous me prenez donc pour un imbécile ? répondit-il d'un ton narquois.

Cette question attisa sa colère, montrant à la jeune fille que le moment fatidique était venu.

Dès qu'il esquissa un pas vers elle, elle lui lança son chandelier. La flamme s'éteignit, mais il n'eut pas le temps de se détourner de la trajectoire de l'objet. Quand la cire chaude lui brûla la peau, l'homme cria de douleur. Clothilde en profita pour lui lancer une couverture. À en juger par le juron étouffé de son agresseur, elle fit mouche.

En projetant la chandelle, elle avait crié à sa sœur d'aller chercher de l'aide. Jeanne réagit promptement. La porte s'ouvrit alors que l'homme se débattait avec la couverture.

Le mince rai de lumière permit à Clothilde d'entrevoir la sortie et de se précipiter dans cette direction. En un clin d'œil, l'homme la rattrapa par la cheville. La jeune fille s'écroula, tombant sur sa blessure au bras.

Une douleur fulgurante l'immobilisa. Mais elle entendit les cris d'alarme de sa sœur résonner dans le monastère. Les portes claquèrent. L'agresseur était toujours armé de son poignard. Désespérée, elle donna des coups de pied, le souffle court, ivre de rage.

Par chance, il la relâcha, sans doute touché par un de ses coups. En se relevant d'un bond, Clothilde heurta une imposante silhouette masculine.

Aussitôt, il la saisit par la taille et l'entraîna au loin.

— Calmez-vous, lui dit-il.

Elle comprit alors qu'il ne s'agissait pas d'un nouvel agresseur.

Les cellules donnaient sur une cour intérieure. La lune était cachée derrière d'épais nuages, plongeant les lieux dans la pénombre. Tristan porta la jeune fille dans la chambre voisine où son frère venait d'allumer une chandelle.

Jeanne était là, emmitouflée dans une couverture, s'efforçant de ne pas regarder ce chevalier presque nu. Elle se précipita vers Clothilde et la couvrit. Il régnait un froid de canard dans cette pièce austère.

— Tu es blessée ?

— Je crois que ma plaie s'est rouverte, mais je vais bien, assura Clothilde.

En se retournant, elle constata que Tristan était encore là, alors qu'il aurait dû se lancer à la poursuite de son agresseur. Lui aussi était presque nu : il ne portait que ses braies. Les sens de la jeune fille furent soudain en émoi face à ce torse nu et musclé.

Au prix d'un effort surhumain, elle parvint à arracher son regard de son fiancé et se demanda pourquoi il n'était pas parti. Elle hésitait à lui rappeler son devoir, se souvenant de sa réaction la dernière fois qu'elle lui avait fait la réflexion, lors de leurs retrouvailles mouvementées.

— Cet assassin va-t-il s'échapper ? demanda-t-elle.

— Il n'ira plus nulle part, répondit Tristan.

Elle remarqua alors son glaive maculé de sang.

— Vous l'avez tué ? N'aurait-il pas fallu l'interroger d'abord ?

— Peut-être, mais je n'ai pas eu le temps de réfléchir. Il était sur le point de vous poignarder.

Ainsi Clothilde venait d'échapper de peu à la mort… elle avait bien senti le danger planer sur elle, mais cette confirmation lui glaçait les sangs.

Elle hocha la tête, sans prononcer une parole de remerciement. Tristan n'était-il pas responsable d'elle ? Or, il ne s'acquittait pas très bien de sa tâche.

— Vous m'avez éloignée de chez moi, où je ne risquais rien… lança-t-elle.

— C'est faux.

— Cette abbaye n'est pas plus rassurante. Vous auriez dû poster un garde devant notre porte.

— C'est ce que j'ai fait.

Sans attendre la réaction de la jeune fille, il se tourna vers son frère :

— Va voir ce qu'il est devenu.

Bertrand quitta la pièce. Jeanne approcha le chandelier et releva la manche de la tunique de sa sœur pour examiner sa blessure.

— Je ne vois que quelques gouttes de sang, murmura-t-elle, encore émue. Les points ont tenu. La plaie n'est que partiellement rouverte.

Clothilde eut un sourire las. Elle n'était pas en état de supporter de nouvelles souffrances.

Bertrand ne tarda pas à revenir.

— Le garde est mort, déclara-t-il. Poignardé en plein cœur. On a retrouvé son cadavre dissimulé derrière un arbre, là où le brigand l'avait traîné.

Tristan fronça les sourcils, pensif.

— Qui peut chercher à vous éliminer ? demanda-t-il à Clothilde.

— Vous auriez dû poser la question à cet homme, répliqua-t-elle.

— Qui ? répéta-t-il, ignorant la critique.

— Quelqu'un qui cherche à empêcher notre mariage, c'est évident, fit-elle en haussant les épaules.

— Ce n'est pas évident, mais c'est possible. Dans ce cas, nous devons nous marier sans tarder. D'ailleurs, ce serait préférable. Ainsi, je pourrai moi-même monter la garde auprès de vous.

— Inutile d'en arriver à des mesures aussi sévères, s'empressa de déclarer Clothilde. Je vais prendre mes animaux avec moi. Ils me protégeront.

— Ils peuvent se faire tuer autant que vous, protesta Tristan avec mépris.

— Ils peuvent aussi tuer autant que vous, rétorqua Clothilde sur le même ton, relevant fièrement le menton.

Il fronça encore les sourcils puis soupira.

— Très bien. Je vais passer le reste de la nuit devant votre porte. Demain, nous ne nous arrêterons sous aucun prétexte, quelles que soient les conditions ou l'heure.

Clothilde accepta de bonne grâce. Manifestement, Tristan n'avait pas plus qu'elle envie de convoler tout de suite. À la bonne heure !

# 18

Depuis plus de deux heures, le convoi cheminait lentement dans la nuit. Selon les consignes de Tristan, les voyageurs ne s'étaient pas arrêtés de la journée, se contentant de grignoter un quignon de pain et du fromage offerts par les moines. Par chance, il ne neigeait plus. En milieu de matinée, les chemins étaient de nouveau praticables, rendant le trajet moins éprouvant que la veille.

Pourtant, la plupart d'entre eux étaient épuisés en arrivant au château de Shefford. Après son agression, Clothilde n'avait pu trouver le sommeil. Sachant Tristan posté devant sa porte, elle n'avait pas réussi à se détendre. Sa présence, qui aurait dû la rassurer, n'avait fait qu'amplifier son tourment.

Pourquoi la jeune fille réagissait-elle ainsi ? Elle ne redoutait pas qu'il entre dans la chambre pour lui faire du mal. Même s'il était l'instigateur de ces attaques, Tristan ne se risquerait jamais à la frapper lui-même.

De plus, s'il souhaitait sa mort, il avait tout de même intérêt à l'épouser au préalable, afin d'empocher sa dot. À présent, elle se sentait un peu ridicule d'avoir osé le soupçonner, d'autant plus qu'il y avait eu mort d'homme.

À son réveil, Clothilde eut la surprise de découvrir la présence d'Anne de Thorpe à son chevet.

Anne et Guy de Thorpe l'avaient sans doute accueillie, la veille au soir, mais la jeune fille, épuisée, n'en gardait aucun souvenir. Elle aurait volontiers dormi quelques heures de plus si la mère de Tristan n'en avait pas décidé autrement.

Anne évoqua avec chaleur les préparatifs du mariage, les nombreux invités prestigieux, dont le roi Jean. Elle bavardait gaiement, enthousiaste à la perspective de cet événement qui lui tenait tant à cœur. Jeanne, déjà levée et habillée, écoutait poliment son hôte. Quant à Clothilde, elle mourait d'envie d'enfouir sa tête sous les couvertures.

Désespérée, Clothilde ne voulait rien savoir sur ces préparatifs, mais ne pouvait se montrer grossière envers la mère de Tristan en lui révélant qu'elle haïssait son cher fils. Même si c'était le meilleur moyen d'échapper au mariage, elle aurait failli à l'honneur de son père. Il lui fallait trouver un motif qui n'entache pas le nom des Crispin.

Roland demeura la meilleure solution, car elle prétendait l'aimer. Elle espérait que c'était vraiment de l'amour... Qu'importe, elle s'en soucierait plus tard. Le moment n'était pas encore venu d'évoquer Roland. Elle devait d'abord obéir à son père en accordant à Tristan la possibilité de faire ses preuves. Ce mois allait lui sembler interminable...

Après le départ d'Anne, Clothilde ne put retrouver le sommeil. Jeanne lui raconta que le loup l'avait réveillée en hurlant à la mort dans la cour du château. Clothilde songea à ses animaux familiers. Comment étaient-ils installés ? Il fallait qu'elle trouve elle-même une écurie bien confortable pour Flèche car nul autre ne pouvait l'approcher.

Clothilde rejoignit tous ses fidèles compagnons. À sa grande surprise, le cheval mangeait paisiblement, installé dans un box spacieux. Elle ne fut guère étonnée d'apprendre que Tristan s'était occupé de lui personnellement. Soucieuse, elle examina le cheval en quête de plaies ou de traces de coups. Flèche était indemne, ce qui l'étonna davantage.

Elle ne pouvait en rester là. À sa grande stupeur, elle partit en quête de Tristan.

Après s'être renseignée auprès des gens du château, elle apprit que Tristan s'était retiré dans sa chambre. Sans se soucier des convenances, elle s'y rendit, décidée à poser quelques questions à son fiancé.

Tristan parut surpris de son apparition alors qu'il était en train de se raser. La lame effilée s'immobilisa sur sa joue.

Clothilde se figea à son tour. Elle ne s'attendait pas à le trouver à demi nu. Ce spectacle la troubla tout autant que la première fois. Face à ce torse sculptural à la peau dorée, elle était incapable de se concentrer.

Sa voix la ramena soudain à la réalité.

— J'ose à peine vous demander si vous êtes ici de votre plein gré, à moins que vous ne vous soyez perdue dans les couloirs du château ?

Clothilde ignora son ton narquois pour lui répondre très sérieusement :

— Comment pourrais-je me perdre dans une demeure que j'ai fréquentée si souvent dans le passé ? Bien sûr, vous ne pouviez le savoir, car vous n'étiez jamais présent lors de mes visites.

— Vous semblez sous-entendre que c'était délibéré de ma part, dit-il en souriant. Vous ne vous trompez pas. Un jour, nous pourrons peut-être en discuter sans rancœur. Pour l'heure, ce moment n'est pas venu, je le crains.

Et il ne viendrait jamais, songea-t-elle en gardant cette pensée pour elle. Soudain, elle eut envie de battre en retraite. Cette pièce lui semblait trop intime. Elle n'aimait pas se retrouver seule avec Tristan quand elle ne ressentait aucune colère qui puisse lui servir à garder ses distances.

Elle décida de lui poser la question qui lui brûlait les lèvres :

— Il paraît que c'est vous qui vous êtes occupé de mon cheval. Puis-je savoir pourquoi ?

Il haussa les épaules.

— Le voir tout seul, abandonné dans la cour, m'agaçait. Vos serviteurs ont pris soin des autres animaux.

Elle s'étonna qu'il ait agi par bonté d'âme, compte tenu de la façon dont il semblait se comporter envers les animaux. Certes, il s'était dit agacé. Et si d'autres animaux n'avaient pas été présents, il ne se serait guère soucié de Flèche. Elle se jura de ne pas le parer de qualités humaines qu'il ne possédait pas vraiment.

Le visage de la jeune femme s'illumina de joie à la pensée que son cheval n'avait manqué de rien.

— Merci, parvint-elle à articuler malgré elle.

Tristan sourit, sentant son embarras.

— Vous avez eu du mal à me remercier, n'est-ce pas ?

— Autant de mal que vous à maîtriser Flèche.

— En fait, il ne m'a posé aucun problème car je lui ai offert du sucre. Il est très gourmand.

Voilà pourquoi elle n'avait décelé aucune trace de coups... il avait eu l'intelligence de changer de tactique. C'était déjà un progrès pour un tyran de son espèce.

— Très bien. Je ne vous dérangerai pas plus longtemps, lord Tristan.

Elle tourna les talons quand la voix de son fiancé retentit dans son dos :

— Vous pourriez m'appeler par mon prénom !

La jeune fille n'avait aucune envie de lui témoigner une amitié qu'elle ne ressentait en rien.

Au lieu de l'insulter en le lui disant franchement, elle lui répondit en esquivant la question.

— Vous portez un prénom original pour un Normand. D'où vous vient-il ?

— C'est un choix de ma mère, en l'honneur de l'un de nos illustres ancêtres.

Sans un mot de plus, Clothilde s'éloigna.

Une fois encore il la retint.

— Pourquoi cette hâte ? Vous semblez toujours pressée. Ne prenez-vous jamais le temps de voir éclore une fleur ?

C'était une remarque incongrue de sa part.

— Il n'en pousse guère à cette époque de l'année, déclara-t-elle. Mais, au printemps, je m'arrête volontiers pour humer leur parfum. En fait, je suis plus à l'aise dans la nature qu'enfermée entre quatre murs.

Elle s'en voulut aussitôt de cette confidence un peu trop personnelle.

— Voilà qui ne m'étonne pas le moins du monde, commenta-t-il d'une voix douce en s'approchant d'elle.

La jeune fille était au bord de la panique. Pourquoi s'approchait-il d'elle ? Sans doute cherchait-il à l'intimider par sa carrure. Il n'avait aucune raison d'agir ainsi. Pourtant, il semblait décidé à venir tout près d'elle.

Clothilde regretta de ne pas avoir fui quand elle en avait la possibilité. Tristan l'aurait traitée de lâche, mais qu'importe, si cela pouvait lui éviter de subir un baiser. Pourtant, elle demeura fascinée par son sourire sensuel qui le métamorphosait. C'était déjà un bel homme, mais le désir le rendait irrésistible. La jeune fille ressentit une émotion encore inconnue, soudain prise au piège par ses propres sensations.

Le contact de ses lèvres sur les siennes rompit le charme. Surprise, Clothilde recula d'un bond. Mais il posa les mains sur ses épaules et l'attira de nouveau vers lui, la plaquant contre son corps, pour s'emparer de sa bouche.

La peur paralysait la jeune fille. La peur et un autre sentiment inattendu qui la troublait. Car elle avait envie de se détendre dans ses bras et de se laisser faire.

Son baiser avait un goût agréable, de même que la chaleur de ses lèvres. Les formes de Tristan se fondaient contre son corps. Elle ne savait plus sur quel pied danser, terrifiée à l'idée de s'abandonner si facilement entre les bras d'un odieux personnage, mais grisée par la volupté de ce baiser.

Que se serait-il passé s'il s'était prolongé ? Par chance, ils furent interrompus par un serviteur. En entendant frapper à la porte, Tristan relâcha son étreinte et recula d'un pas. Il semblait même un peu gêné.

— Pourquoi m'avez-vous fait cela ? s'enquit la jeune fille, encore étourdie.

— Parce que j'en ai le droit.

S'attendait-elle à une réponse plus romantique ? Quelle imbécile ! Ses joues s'empourprèrent de colère. Le cynisme était une réaction typiquement masculine.

— Voilà qui ne m'étonne pas de vous, répondit-elle d'un ton qui se voulait enjoué, reprenant les termes de Tristan, et elle quitta précipitamment la pièce.

# 19

*Parce que j'en ai le droit*, lui avait-il déclaré.

Parfois, Tristan s'étonnait lui-même. Quelle réponse stupide ! D'autant plus que c'était un mensonge. Mais il avait été pris de court. Jamais il n'aurait soupçonné qu'il puisse désirer Clothilde avec une telle intensité, alors qu'il la détestait. Enfin, pas tout à fait.

Quand elle daignait s'habiller en jeune fille, elle était ravissante, et son esprit vif l'amusait de plus en plus. Certes, elle s'en servait pour l'insulter à la moindre occasion, mais son audace le fascinait.

Assurément, Clothilde n'était pas une femme comme les autres. Elle était trop fière, trop sûre d'elle, sans parler de ses habitudes excentriques. À présent, Tristan n'aurait aucune difficulté à lui prendre sa virginité et il y trouverait beaucoup de plaisir. S'il n'était toujours pas enthousiaste à l'idée de l'épouser, cette perspective n'était plus aussi intolérable qu'au départ.

C'est pourquoi il ne fit pas part à sa mère de ses réserves lorsqu'il la rejoignit devant la cheminée, avant le dîner. La veille, il avait même songé à lui demander de l'aide.

Au moment de son départ pour Dunburgh, la semaine précédente, Anne avait remarqué la mine déconfite de son fils. Comme à son habitude, elle n'y avait pas prêté attention. Elle avait le don de voir la vie en rose, de trouver une explication rassurante chaque fois qu'apparaissaient les signes d'une catastrophe imminente, et ne réagissait vraiment que lorsqu'elle était directement confrontée à un problème grave. Il était donc inutile que Tristan lui expose les mille et une raisons pour lesquelles Clothilde n'était pas l'épouse idéale. Il préféra se taire, conscient que seul le souvenir du baiser qu'il venait de donner à la jeune fille allait peser dans la balance. Les hommes se laissaient facilement détourner par leurs instincts, sans même s'en rendre compte, parfois.

Malheureusement, Anne semblait déterminée à ne parler que du mariage. Le saluant à peine, elle se lança dans la description de la cérémonie.

— Je suis ravie que tu me rejoignes avant que la grande salle ne se remplisse de convives, déclara-t-elle. Si tu savais comme je me réjouis que tu sois enfin allé chercher ta fiancée ! Tu as vraiment de la chance, tu sais. Elle est ravissante. Nous n'aurions pu te trouver plus délicieuse jeune fille.

Tristan parvint à ne pas s'esclaffer. Sa mère n'avait-elle donc rien remarqué de la fantaisie de Clothilde ? La jeune fille était capable de se comporter normalement quand elle le voulait. Sans doute avait-elle joué la comédie devant ses hôtes.

Lui-même ne s'était-il pas laissé berner quand il avait pris Jeanne pour Clothilde ? Il tenait à savoir si sa mère se mentait sur le compte de sa future bru ou si elle ne la connaissait vraiment pas sous son vrai jour.

— Que pensez-vous de sa façon de se vêtir, mère ?

Anne fronça les sourcils, intriguée par la question de son fils, puis elle sourit :

— Tu parles peut-être de sa manie d'emprunter les hardes de ses camarades de jeu, quand elle était petite ? Oh, elle a bien changé !

112

— En fait, mère…

Elle l'interrompit aussitôt. Tristan en eut le cœur net : sa mère s'acharnait à ne considérer que le bon côté des choses.

— Et Clothilde adore la chasse, ajouta-t-elle. Voilà qui devrait te plaire, non ?

— Elle ne chasse pas au faucon.

— Ah non ? Pourtant, son père m'a raconté plus d'une fois…

— Qu'elle excelle au tir à l'arc ? intervint sèchement Tristan.

— Voyons, chéri ! s'exclama-t-elle en riant. Bien sûr qu'elle ne tire pas à l'arc ! Quelle idée ! Et nous avons vu son faucon. Il est superbe. Je crois qu'elle l'appelle Rhiska, comme celui qu'elle possédait étant petite. Il paraît qu'une brute l'a tué par pure méchanceté. Je suis sûre qu'elle te racontera cette histoire. Ce fut pour elle une expérience très pénible. En se confiant à toi, elle te sera plus proche.

Tristan se figea. Si, comme il le soupçonnait, la brute en question n'était autre que lui-même, il était naturel que Clothilde lui en veuille à ce point.

Ce terme ne pouvait que sortir de la bouche de la jeune fille. Anne ne portait jamais de jugement sur les gens. Sa fiancée avait donc raconté cette anecdote à Anne sans préciser l'auteur de l'affront. D'ailleurs, Anne n'aurait jamais cru son cher fils capable d'un tel acte de cruauté.

Si seulement il l'avait su avant… Il ne voulait pas tuer ce faucon. Il cherchait simplement à se défendre. S'il avait su que le rapace était mort, il serait resté pour réconforter l'enfant. Ce souvenir lui serait peut-être moins pénible.

— À propos d'oiseaux, reprit-il : Avez-vous vu tous ses animaux de compagnie ?

— Comment cela ?

Anne fronça de nouveau les sourcils, puis sourit comme si elle était au courant. Comme d'habitude, elle se trompait.

— Tu parles du loup ? Il est étrange, mais très gentil. Crois-moi, il est digne des chiens de ton père. Sais-tu qu'il s'est endormi à mes pieds ? Je m'en suis rendu compte en lui donnant malencontreusement un coup de pied. Il n'a même pas grogné. C'est drôle, ajouta-t-elle en riant, car elle l'appelle Grognon ! Ce nom ne lui va pas du tout. Il est doux comme un agneau.

Elle pensait sans doute que son fils redoutait le loup. En réalité, il s'inquiétait surtout du grand nombre d'animaux et craignait de voir sa chambre nuptiale se transformer en ménagerie. Aussi décida-t-il de ne pas approfondir la discussion, de peur d'alarmer sa mère avec des soucis mineurs. Il adorait Anne, même si son attitude désinvolte le mettait parfois en colère.

Tristan ne se plaignit donc pas de sa fiancée, d'autant qu'il sentait encore le goût de ses lèvres sur les siennes. Depuis ce baiser, il ne pensait qu'à renouveler l'expérience, juste pour vérifier qu'il n'avait pas rêvé.

Néanmoins, il se devait de raconter à sa mère les agressions dont Clothilde avait été victime. Les deux femmes allaient être amenées à passer beaucoup de temps ensemble. Il ne pouvait lui cacher ces incidents.

— Mère, sans vouloir vous alarmer outre mesure, déclara-t-il sans préambule, il faut que vous sachiez que quelqu'un en veut à la vie de Clothilde.

Anne retint son souffle. Naturellement, elle n'en croyait pas un mot.

— Tristan ! Ce n'est pas drôle ! On ne plaisante pas avec la mort !

— J'aimerais que ce soit une plaisanterie, mère, mais, en l'espace de quelques jours, elle a été victime de trois agressions. Il faudra vous méfier de tous les inconnus qui viendraient à s'approcher d'elle.

— Qui peut en vouloir à cette malheureuse enfant ? s'enquit Anne, en blêmissant.

— J'ignore de qui il s'agit, mais je devine ses motivations. Je crois que c'est moi que l'on vise à travers elle, à moins que l'on ne veuille empêcher notre mariage.

— Dans ce cas, mariez-vous tout de suite et le problème sera réglé.

— Elle n'acceptera pas, répondit Tristan en soupirant. Je le lui ai déjà proposé.

— Qu'importe. Je lui parlerai.

— C'est inutile, mère.

— Mais si ! assura-t-elle. C'est une fille raisonnable. Elle se doit d'accepter, ne serait-ce que pour faire cesser cette violence absurde.

Raisonnable ? Sa mère confondait les deux sœurs. Tristan s'abstint d'insister sur les réticences de sa fiancée. Anne s'en rendrait vite compte par elle-même.

— Comme vous voudrez, répondit-il simplement.

Sa mère tiendrait parole. Pourvu qu'elle se méfie des inconnus…

# 20

— Vous n'êtes qu'une bande d'incapables ! Je vous charge d'une mission d'une simplicité enfantine, et vous accumulez les échecs ! Je vous paie pour quoi, dites-moi ? Vous n'êtes que des incompétents !

Geoffroy se promit de ne plus séjourner dans une auberge où Walter de Roghton pourrait le débusquer. Pour sa part, il aurait volontiers assassiné Walter de Roghton au lieu de la jeune fille que celui-ci l'avait chargé d'éliminer. Certes, ce crime aurait nui à sa réputation, mais l'idée était séduisante.

En réponse à ces réprimandes, Geoffroy n'exprima nulle honte, même si le seigneur attendait de lui une marque de contrition. Tandis que ses deux complices jouaient le jeu à merveille, Geoffroy soutint le regard de Walter de Roghton et haussa les épaules.

— Ce n'est qu'un malheureux concours de circonstances, mon seigneur, déclara-t-il en guise d'excuse. Nous aurons plus de chance la prochaine fois.

— La prochaine fois ? s'exclama Walter, le visage écarlate de colère. Quelle prochaine fois ? Vous aviez facilement accès à Dunburgh, mais il n'en sera pas de même à Shefford. N'entre pas qui veut dans cette forteresse imprenable. Même les marchands doivent montrer patte blanche, sinon les gardes les repoussent.

— Nous réussirons bien…

— Vous ne m'écoutez pas ! Shefford est un comté. Un comte ne paie personne. Ses vassaux et ses villageois suffisent à subvenir à ses besoins et ne lui coûtent rien.

— Il existe toujours une solution, mon seigneur. Si ce n'est un travail ou un pot-de-vin, nous userons d'un stratagème ou de ruse. Les villageois se rendent parfois au château, c'est inévitable. Des charrettes, des catins… J'en connais une qui pourrait nous être utile. Elle a déjà travaillé pour moi et connaît les poisons les plus efficaces. De plus, sachez que j'ai horreur que l'on me donne des leçons.

Geoffroy se moquait éperdument de blesser Walter, car il n'était pas un manant. Son statut d'homme libre lui donnait le droit de s'adresser comme il l'entendait aux serfs et aux suzerains. Fils d'une prostituée londonienne, il ignorait tout de l'identité de son père. Très jeune, il s'était retrouvé à la rue, livré à lui-même. Il avait survécu à la faim, aux coups, au froid. Ce petit seigneur arrogant ne l'impressionnait guère.

Walter était fou de rage. Visiblement, il n'avait pas l'habitude d'être ainsi rudoyé. Qu'importe. Geoffroy savait mieux que quiconque qu'il fallait lutter dans la vie. Quel droit avaient donc ces maudits nobles de décider de son sort ?

La tâche qu'il avait à accomplir ne le tourmentait guère. Il avait déjà tué maintes fois sur commande. Mais il ne tolérait ni les conseils ni les reproches. On disait de lui qu'il ne manquait pas de charme malgré sa mine patibulaire. En fait, il inspirait souvent le respect.

La perspective de tuer une femme ne lui posait pas de problème. Geoffroy avait aperçu sa cible et l'avait trouvée ravissante. Or, il appréciait les belles femmes. Il voulait bien la tuer, mais, auparavant, il la ferait sienne. Walter n'avait pas à connaître ses intentions.

Deux de ses complices avaient déjà tenté de l'assassiner, mais l'un d'eux était mauvais tireur et l'autre n'était jamais revenu du monastère.

En vérité, la jeune fille serait déjà morte si Geoffroy ne tenait pas tant à la posséder. L'enlever était en effet moins aisé qu'une exécution. À présent, il se demandait si le plaisir de la chair valait vraiment les risques qu'il faisait prendre à ses amis.

Et s'il chargeait son amie la prostituée de s'introduire au château pour empoisonner Clothilde ? Mais il devait auparavant essayer d'y entrer lui-même.

En outre, il se moquait des motivations de ceux qui faisaient appel à ses services, mais il exigeait de connaître certains détails susceptibles de faciliter sa mission.

— Vous auriez dû nous prévenir qu'elle était fiancée au fils d'un comte, mon seigneur.

— Cela n'aurait rien changé si vous l'aviez tuée avant l'arrivée de Thorpe. Cette fille est assez stupide pour se comporter comme une paysanne et se promener seule dans les bois. C'était une proie facile. Depuis vos échecs successifs, elle est mieux protégée que la reine en personne.

Dans ce cas, pourquoi cet arrogant de Roghton n'avait-il pas effectué la sale besogne lui-même ? Sans doute en était-il incapable. Même si Geoffroy ne connaissait aucun noble digne de ce nom, il devait pourtant exister des chevaliers bien entraînés à la guerre.

— Elle va peut-être continuer à jouer les paysannes, déclara-t-il. Sans le savoir, elle est notre meilleure alliée. Croyez-moi, elle viendra à nous.

— On ne peut y compter, rétorqua Walter, qui parut toutefois un peu rassuré. N'oubliez pas que le temps presse. Il faut qu'elle disparaisse avant le mariage. C'est clair ?

— Oui. Je compte profiter de son inconscience.

— Comme vous voudrez, mais soyez efficace, sinon vous devrez subir la colère d'un roi.

Geoffroy éclata de rire, ce qui fit rougir Walter de rage. Ce petit nobliau croyait donc l'impressionner en invoquant le roi ? C'était peut-être valable du temps de Richard Cœur de Lion, mais son pleutre de frère...

— Comment osez-vous ! lança Walter en retrouvant l'usage de la parole.

Geoffroy fit un geste désinvolte de la main.

— C'est Thorpe qui m'inquiète. J'en entendu dire que c'était un chevalier de grande valeur. Votre petit roi ne connaît que l'intrigue et le mensonge. Il ne menace que ses nobles. À présent, allez-vous-en, mon seigneur, et laissez-moi préparer ma mission. Si je vais jusqu'au bout, ce sera parce que je l'ai décidé, et non par peur de vous contrarier.

Walter ne put répondre tant la colère l'étouffait. Il quitta la pièce la tête haute. Geoffroy, qui avait déjà touché la moitié de sa récompense, entendait empocher le reste, quoi qu'il arrive.

Dans le couloir, Walter se dit qu'il ne se contenterait pas de faire exécuter ces mercenaires afin qu'ils n'ébruitent pas l'affaire. Il s'en chargerait lui-même avec le plus grand plaisir.

# 21

— Tu es bien songeuse, aujourd'hui, déclara Jeanne. Aurais-tu des soucis ?

Clothilde s'arrêta au milieu de l'escalier en colimaçon qui menait à la grande salle et regarda avec nostalgie par une meurtrière du mur d'enceinte. Jeanne demeurait cependant persuadée que sa sœur ne se lamentait pas seulement d'être enfermée.

— Tu es encore fatiguée par le voyage ?

— Non.

Cette réponse laconique de Clothilde alarma Jeanne.

— Très bien. Alors qu'est-ce que tu rumines ainsi ?

— Je ne suis pas une vache, répondit la jeune fille en esquissant un sourire las.

— Cesse de tout tourner en dérision ! Tu sais très bien ce que je veux dire ! répliqua Jeanne avec impatience. Tu ne peux me cacher ton désespoir, malgré tes efforts.

— Tristan m'a embrassée, murmura Clothilde avec un soupir.

— Quand ?

— Ce matin.

— Mais c'est très bien… commenta Jeanne.

— Certainement pas ! coupa sa sœur d'un ton sec.

— Je t'assure que si. Te rappelles-tu notre conversation sur les avantages que tu aurais à susciter son désir ? Eh bien, s'il t'a embrassée, c'est qu'il en avait envie et…

— Oh, détrompe-toi ! Il m'a donné une excellente raison à son geste quand je lui ai demandé des explications. Figure-toi qu'il m'a embrassée parce qu'il en avait le droit.

Jeanne réfléchit un instant puis éclata de rire.

— C'est stupide ! Ce n'est pas une raison.

— C'est en tout cas celle qu'il m'a fournie.

— Peut-être, mais ce n'est pas la vraie raison.

— Et je suppose que tu la connais, fit Clothilde d'un ton exaspéré.

— Réfléchis un peu et la réponse te viendra d'elle-même. Pourquoi un homme t'embrasserait-il s'il n'en avait pas la moindre envie ?

— Il y a un tas de raisons pour embrasser quelqu'un : faire la paix, dire bonjour…

— Arrête ! s'exclama Jeanne, sidérée par son aveuglement. Pourquoi refuses-tu de voir que Tristan te désire ? Tu sais bien ce que ce sentiment peut te rapporter.

— Non, c'est toi qui l'affirmes. Moi, je ne veux rien savoir de ses pulsions.

— Tu n'as donc pas aimé son baiser ? demanda Jeanne en fronçant les sourcils.

Clothilde sentit la rougeur lui monter aux joues, faisant naître un sourire sur les lèvres de sa sœur.

— Je me doutais que ce contact ne te dégoûterait pas.

— Je laisse aussi mon loup me lécher la joue, protesta Clothilde. Cela ne signifie pas que je souhaite qu'il me le fasse.

— Comment peux-tu comparer ton loup à Tristan ?

— C'est toi qui le dis, répliqua sa sœur. Moi, je trouve qu'ils ont beaucoup en commun. Du moins, Tristan ressemble à un loup, mais pas au mien.

— Je ne pensais pas que tu t'entêterais à ce point. Tu es vraiment décidée à me donner tort, n'est-ce pas ?

— Je m'entête ? À quel propos ? Jeanne, tu n'as pas enduré les souffrances qu'il m'a fait subir. Autrefois, j'ai eu peur de rester infirme toute ma vie. C'est un miracle que je ne boite pas.

— Certes. Sache que j'ai bien senti ton angoisse et ton chagrin. Mais c'est loin. Tristan a changé. Le crois-tu capable de te faire souffrir, aujourd'hui ? C'est le fils de lord Guy. Comment pourrait-il être si différent de son honorable père ?

— Très facilement. Je suis l'exemple type d'une enfant qui n'a rien à voir avec ses parents.

— C'est faux ! Père ne cesse de répéter que tu ressembles à notre mère.

— Parce qu'elle était un peu colérique ! Crois-tu franchement qu'elle se comportait comme moi ?

— D'accord, tu n'es pas un très bon exemple, concéda Jeanne en riant. Pourtant, j'ai bavardé avec Tristan alors qu'il croyait avoir affaire à toi, et je l'ai trouvé très galant, courtois, généreux…

— Et moi, je l'ai entendu me parler quand il me prenait pour un garçon. Il était odieux, arrogant, dur…

— J'abandonne la partie ! s'exclama Jeanne.

— Tant mieux !

— En tout cas, tu te trompes. Jamais Tristan ne traitera sa femme comme une servante indigne de respect. Pourtant, c'est ainsi que tu t'es comportée le jour de son arrivée chez nous.

— Tu as raison, je risque de subir un traitement encore pire, une fois mariée, répliqua Clothilde. Car il en a le droit.

122

— Cette remarque anodine t'a vraiment piquée au vif, on dirait !

— Je m'en moque éperdument ! mentit Clothilde.

— Ne joue pas la comédie. Tu aurais préféré qu'il te dise qu'il avait envie de toi, qu'il est impatient de te faire sienne. Mais n'aurais-tu pas été terriblement gênée par un tel aveu ? D'ailleurs, quelle idée de lui demander pourquoi il t'avait embrassée. À quelle réponse t'attendais-tu ?

— Si je lui ai posé cette question, marmonna Clothilde, c'est que c'est la première chose qui me soit venue à l'esprit. Ce baiser m'a rendue... stupide.

— Comment cela ?

— Tu sais ce que je veux dire.

— Je n'en suis pas certaine, insista Jeanne, pensive. Tu étais très troublée, à moins que tu n'aies éprouvé tant de sensations différentes que tu étais perdue ? Qu'importe, c'est très bon signe, si tu veux mon avis.

— Je n'aime pas perdre la raison.

— Je ne t'ai jamais parlé du baiser que m'a donné l'écuyer de père, autrefois ? reprit Jeanne.

— Sir Richard ? Père ne l'a pas fait fouetter ? s'enquit Clothilde.

— Je n'en ai rien dit à personne, bien sûr. Après tout, il n'y a pas de mal à embrasser quelqu'un. Par la suite, Richard s'est excusé. À vrai dire, j'étais très flattée de l'attention qu'il me portait. Mais j'étais déjà amoureuse de William.

— J'imagine que tu cherches à me faire comprendre quelque chose ?

— Bien sûr. Le baiser de Richard était si furtif que je n'ai rien senti de particulier. Un frôlement de ses lèvres, tout au plus. Je n'étais pas troublée outre mesure. Mais quand j'ai enfin embrassé William, j'ai failli m'évanouir. C'est fou ce que le désir peut provoquer dans le corps d'une femme.

Clothilde rougit violemment.

— Je ne désire pas Tristan ! Je le déteste !

— Peut-être ne le détestes-tu pas vraiment ? Tu voudrais le haïr, et tu déploies mille efforts pour y parvenir. Mais tu n'y arrives pas.

— C'est très logique, répliqua Clothilde d'un ton chargé de sarcasme. Mais tu oublies la colère qu'il éveille en moi. Je pourrais l'étrangler de mes mains. Comment le désirer dans ces conditions ?

— Je ne cherche qu'à t'aider, dit Jeanne, un peu peinée. Tu préfères te complaire dans la haine.

— Non. J'aimerais mieux trouver un moyen de me sortir de cette situation, mais tu ne m'écoutes pas. Aide-moi à ne pas l'épouser, je t'en prie.

Jeanne posa une main sur son bras.

— Il n'y a pas d'échappatoire, je le crains. Autant accepter ton sort.

— Je ne voulais pas déverser ma colère sur toi, dit Clothilde en étreignant sa sœur.

— Ce n'est rien. Mieux vaut te défouler sur moi que sur Tristan. Bon, n'en parlons plus pour aujourd'hui. Nous ferions mieux de descendre, avant qu'il n'envoie des serviteurs à notre recherche. Au fait, ce bliaud rose te va à merveille.

Clothilde baissa les yeux.

— Tu cherches vraiment à me couper l'appétit !

Jeanne s'esclaffa et entraîna sa sœur dans l'escalier.

— Je commence à croire que tu débordes d'énergie inutilisée, alors tu fais la tête.

— Je ne fais pas la tête, grommela Clothilde.

— Mais si. Dame Elga m'a un jour confié le meilleur moyen pour se dépenser utilement et être toujours de bonne humeur.

— Je suppose que c'est l'un de ces secrets que tu ne peux divulguer.

— Non. C'est même très simple : il suffit de faire de nombreux enfants.

Sur ces mots, elle descendit vivement les marches avant que sa sœur ne puisse protester.

# 22

Quand les jeunes femmes entrèrent dans la pièce, Tristan remarqua aussitôt qu'elles n'étaient pas vêtues de façon identique. Pour une fois, il n'eut aucun mal à les distinguer : l'une riait tandis que l'autre affichait une mine renfrognée.

Il maudit une nouvelle fois le sort qui l'avait affligé de la plus excentrique des deux sœurs. Pourtant, en voyant Jeanne, radieuse, charmante, il ne ressentit aucune attirance pour elle. Pour Clothilde, en revanche...

Que le diable l'emporte ! Le sang de Tristan ne fit qu'un tour. Pourquoi ce trouble ? Jamais il n'avait apprécié les femmes querelleuses, ironiques, contrariantes. Tout homme en quête de luxure et de volupté évitait les femmes colériques. Or, sa fiancée ne décolérait pas. Encore à présent, elle semblait contrariée. Comment pouvait-elle l'attirer à ce point ?

— Tu es obligé de froncer les sourcils chaque fois que tu la regardes ? s'enquit son père d'un ton las.

Tristan se tourna vers Guy, qu'il n'avait pas entendu arriver. Ils n'avaient pas parlé de Clothilde depuis son retour, sauf pour évoquer les agressions dont elle avait été victime. La veille au soir, le jeune homme avait en effet relaté à son père les détails de leurs mésaventures.

— Je ne me rendais pas compte que je fronçais les sourcils, répondit-il en se détendant.

— Inutile d'exprimer publiquement ton aversion pour elle. Tu n'as rien à gagner à lui faire sentir ton hostilité.

Tristan faillit éclater de rire.

— Rassurez-vous, elle est au courant, avoua-t-il. D'ailleurs, elle ressent la même chose pour moi. Figurez-vous qu'elle aime un autre homme.

Guy eut l'air soucieux, puis il s'esclaffa :

— Ce n'est qu'une réaction de défense ! expliqua-t-il. Sans doute a-t-elle senti tes réticences.

Tristan ne pouvait écarter cette hypothèse étant donné qu'il avait adopté la même attitude en prétendant aimer une autre femme. Ce n'était pas la seule raison de l'animosité de Clothilde. Lui en voulait-elle d'avoir tué son faucon ? Comment pouvait-on pleurer aussi longtemps la mort d'un animal ? À moins qu'elle ne lui reproche de ne pas avoir rattrapé ses agresseurs, dans les bois ? C'était plus probable. De là à rompre les fiançailles…

Tristan se garda d'insister sur ce point auprès de son père.

— Qu'importe, dit-il d'un ton léger. Peu à peu, nous apprenons à nous connaître. Son père lui a accordé quelques semaines de réflexion.

— Ainsi, tu n'es plus aussi opposé au projet ? interrogea Guy en levant un sourcil.

Tristan haussa les épaules.

— Disons que je le suis un peu moins. Je considère toujours qu'elle ne m'apportera que des ennuis, mais ce sera peut-être… intéressant, du moins pas aussi pénible que je le redoutais. Son père est persuadé qu'elle se métamorphosera une fois mariée. Saviez-vous qu'elle aurait aimé être un garçon ? Et qu'elle préfère les activités masculines ?

— Je sais qu'elle manque parfois un peu de féminité, admit Guy.

— Parfois ? coupa Tristan d'un ton narquois. Vous auriez pu me prévenir qu'elle s'habillait en valet de ferme. J'ai failli la frapper en la prenant pour un serf impertinent.

— Seigneur ! Comment ce teint de pêche et ces yeux d'émeraude ont-ils pu t'échapper ?

— Elle avait le visage tout crotté.

— Je sais qu'elle aimait à se travestir ainsi autrefois. Nigel se plaignait sans cesse de ses frasques. Mais je pensais qu'elle avait perdu cette mauvaise habitude en grandissant. D'ailleurs, elle sait parfaitement se comporter en jeune fille convenable quand elle le veut.

— Elle préférerait s'en abstenir, je vous le garantis.

Guy s'éclaircit la gorge.

— Eh bien, je partage l'opinion de mon vieil ami Nigel. Épouse-la, fais-lui un enfant, et tu auras bientôt la plus féminine des épouses. Moi, je la trouve délicieuse.

Tristan se demanda si ses parents avaient rencontré la vraie Clothilde ou s'ils la confondaient avec sa sœur.

— En fait, il croit que l'amour est la solution au problème, conclut-il.

— L'amour peut transformer un être, expliqua Guy. C'est arrivé souvent. J'ai aussi vu des chevaliers brutaux traiter leurs enfants avec une extrême douceur et une mégère devenir une sainte après quelques grossesses. Il faut compter sur ta future progéniture pour améliorer la situation.

— Pourquoi insistez-vous autant sur ce point ? Serait-ce à cause des plaisirs qu'implique cet aspect du mariage ?

— Le plaisir est une bien belle chose. Il suffit souvent d'une cuillerée de miel pour adoucir la plus amère des potions.

Guy s'interrompit en voyant l'air abasourdi de son fils.

— J'ai l'impression que tu vas encore me contredire, marmonna-t-il.

— Pas du tout, fit le jeune homme d'un ton conciliant. Cependant, je ne comparerais pas une épouse avec une potion amère. On peut avaler une potion rapidement et l'oublier ensuite. Une femme vous suit toute la vie.

— Qu'importent les comparaisons du moment que tu comprends mon point de vue. Car tu as compris, n'est-ce pas ?

— Assurément, père. Comme toujours. Ne vous inquiétez pas pour elle.

Guy le dévisagea longuement.

— Très bien, je ne m'inquiéterai pas pour elle. Quant à notre autre problème… tu as réfléchi à ma question ? Il faut savoir qui se cache derrière ces agressions.

Lors de leur entretien de la veille, Guy avait demandé à son fils s'il avait des soupçons précis.

— Je n'ai pas eu d'altercations sérieuses avec quiconque, déclara Tristan. Mis à part l'un des mercenaires de Jean.

— Le roi Jean ?

— Oui.

— Quel genre d'altercation ? demanda Guy d'un air soucieux.

— Rien de très grave. L'un de mes hommes était tombé sous une flèche galloise et je n'avais nulle envie de l'écouter amoindrir nos efforts. Alors je l'ai frappé. Quelques heures plus tard, une fois remis, il a juré de brandir ma tête au bout d'une lance.

— Tu aurais dû le faire taire pour de bon.

— Le roi n'aime pas perdre un capitaine pour des broutilles. D'ailleurs, je ne prends pas sa menace au sérieux. C'est un imbécile. Je le crois incapable de fomenter une vengeance. Il m'affronterait directement.

— Alors qui d'autre ?

— Vous croyez donc que j'ai beaucoup d'ennemis ? fit le jeune homme, amusé. Franchement, je ne vois personne. Mais vous ? Si ce mariage n'avait pas lieu, vous en pâtiriez également.

Guy parut pris de court.

— Je n'y avais pas songé, mais tu as raison. Je vais y réfléchir. Contrairement à toi, mon fils, j'ai accumulé les ennemis au fil des années.

Tristan eut l'air étonné.

— Vous ? Votre honneur est intact, père. Qui pourrait en douter ?

— Je n'ai pas dit que j'avais des ennemis honorables, répondit Guy avec un sourire. Les personnes sans scrupules ont toutes les raisons de craindre un homme honnête et de se venger quand ils sont mis en cause publiquement, s'ils parviennent à échapper à la pendaison. Pour ce qui est de Clothilde, je veux que l'on prenne toutes les précautions nécessaires pour la protéger. Qui as-tu chargé de sa surveillance ?

— À part mère ?

— Tu plaisantes, mais ta mère est une femme de devoir.

— Les moindres recoins du château sont sous bonne garde. Clothilde ne peut faire un pas sans que je le sache.

— Je vais également faire filtrer les entrées. Quand les invités commenceront à affluer avec leurs suites, nous devrons confiner Clothilde au quartier des femmes.

— Elle va mal le prendre, prévint Tristan.

— Peut-être, mais c'est indispensable.

— Alors je vous laisserai lui annoncer la nouvelle quand le moment viendra.

# 23

Dans la grande salle du château, l'on s'affairait à garnir de longues tables pour le repas. Sur une estrade était dressée celle du seigneur, inoccupée pour l'heure. Par tradition, les convives attendaient que le seigneur ait pris place pour s'asseoir. Or, lord Guy était encore en grande conversation avec son fils.

Du fond de la salle, Clothilde vit lady Anne s'approcher d'elle. Par trois fois, elle fut retenue par des serviteurs. Pourvu qu'elle ne veuille pas lui parler du mariage, songea la jeune fille. Elle n'eut pas l'occasion de le découvrir car, enfin libérée de ses obligations domestiques, Anne se dirigea finalement vers son mari pour lui annoncer que le repas serait bientôt servi. Resté seul, Tristan porta son attention sur sa fiancée.

Celle-ci prit sa sœur par la main et l'entraîna vers la table qui commençait à se garnir, désireuse d'empêcher Tristan de se joindre à elles. Qu'importe si son fiancé se rendait compte qu'elle l'évitait puisque c'était la vérité. Elle trouva vite un banc n'offrant que deux places libres.

— Qu'est-ce que tu mijotes ? lui demanda Jeanne tandis que Clothilde l'obligeait à s'asseoir.

— Je t'en prie, fais en sorte que Tristan ne puisse me parler en privé, lui chuchota-t-elle.

— À quoi bon ? répondit Jeanne en soupirant. S'il veut te parler, il te parlera, que tu le veuilles ou non. D'ailleurs, ta place est à côté de lui.

— Pour qu'il me coupe l'appétit ? répliqua Clothilde en serrant les dents.

— Vous m'accordez décidément trop de pouvoirs, intervint Tristan en s'asseyant à ses côtés.

Clothilde se tourna vers lui avec effroi. Un chevalier s'était déplacé pour permettre à Tristan d'être en compagnie de sa fiancée. La jeune fille fit la moue.

— Vous êtes trop bon de vous joindre à moi, mon seigneur.

— Ce sarcasme vous sied mal, répliqua Tristan d'un ton neutre.

— J'aimerais que vous vous éloigniez de moi. Cette réponse vous convient mieux ?

— Bien mieux. La vérité est toujours préférable au mensonge, même quand elle inutile.

Avec un soupir résigné, Clothilde se tourna vers Jeanne pour entamer une conversation. Tristan ne chercha pas à s'interposer.

Hélas, ce silence ne faisait pas oublier à Clothilde sa présence. Bien qu'elle se serrât contre sa sœur pour éviter le moindre contact avec lui, elle ne pouvait éviter de frôler son épaule ou sa cuisse.

Ayant perdu tout appétit, elle mangea sans goûter la saveur du gibier. Elle fut presque soulagée d'entendre enfin le son de la voix de Tristan :

— Je réclame votre attention, femme. Nous devrions au moins avoir l'air d'être fiancés.

Il s'exprimait d'un ton grave. Clothilde releva qu'il avait tendance à l'appeler « femme » chaque fois qu'il était particulièrement mécontent.

Elle leva vers lui un regard étonné.

— Et comment devrions-nous nous comporter, selon vous ?

— Comme si nous étions heureux, peut-être ?

Elle faillit s'esclaffer, mais se contenta d'un sourire triste.

— Tous les mariages sont arrangés. Le nôtre n'échappe pas à la règle. Le bonheur n'a pas sa place dans de telles unions, vous le savez bien.

Il prit un air pensif et déclara :

— Réjouissons-nous déjà de n'être ni l'un ni l'autre affligés de tares ou de disgrâces. Après tout, nous ne sommes ni infirmes, ni borgnes, ni nains. C'est déjà une forme de bonheur.

Elle ne put réprimer un rire en l'imaginant borgne. Il était trop tard pour résister à son charme. Plus question de garder son sérieux.

Clothilde se couvrit un œil à son tour et entendit Tristan rire de bon cœur. Qui pouvait croire qu'ils étaient malheureux ? La jeune fille se détendit.

— Permettez-moi de vous dire que vous êtes ravissante, même borgne.

Elle rougit violemment. Pourquoi avait-elle du mal à accepter les compliments de Tristan ? Si quelqu'un d'autre lui avait dit la même chose, elle s'en serait à peine rendu compte. Elle sentit sa gorge se serrer d'émotion.

Prenant son verre d'une main tremblante, elle faillit le renverser. Elle vida sa coupe, mais le vin ne dissipa guère son trouble, au contraire. Pourtant, elle put regarder Tristan sans rougir.

Ce fut une erreur car une lueur taquine étincelait dans les yeux d'azur de son fiancé, adoucissant la sévérité de ses traits. Son visage en était métamorphosé. C'était décidément un fort bel homme.

Il lut sans doute l'émerveillement dans ses yeux car son expression se figea. Il afficha soudain le même regard que dans la matinée, quand il l'avait embrassée. La jeune fille retint son souffle. Son cœur se mit à battre la chamade.

Tristan détourna vite les yeux. Heureusement, car Clothilde en était incapable. Soudain déconcerté, presque gêné, il se passa la main dans les cheveux.

Clothilde eut envie de se lever et de prendre ses jambes à son cou. Il fallait qu'elle s'éloigne de cet homme pour apaiser ses sens.

— J'aimerais m'entretenir avec vous à la fin du repas, déclara-t-il.

Aussitôt, la jeune fille changea d'avis et préféra rester à sa place, de peur qu'il ne se lance à sa poursuite.

— Parlez-moi maintenant, si vous avez quelque chose à me dire, répondit-elle sans le regarder.

Elle reconnut à peine sa propre voix tant elle était brisée par l'émotion.

— En privé, précisa-t-il.

— Non.

— Clothilde…

— Non. Je refuse de vous embrasser une nouvelle fois, répliqua-t-elle, devinant ses intentions.

— Pourquoi ?

La question la surprit tant qu'elle le regarda droit dans les yeux. Il semblait sincèrement troublé, presque autant qu'elle, car elle n'avait aucune raison de refuser sans les embarrasser davantage.

— Pensez-vous qu'une femme doive justifier un refus ? répondit-elle enfin, éludant la question.

— Quand c'est à son fiancé qu'elle se refuse, oui.

— Nous ne sommes pas encore mariés.

— Je ne cherche pas à vous attirer dans mon lit. Du moins pas encore. Il n'y a rien de mal à un simple baiser, non ?

Elle se doutait que ce simple mot la ferait rougir. Elle ne pouvait lui expliquer que leur baiser l'avait bouleversée à tel point qu'elle ne parvenait pas à le prendre à la légère. Non, ce baiser n'avait rien d'anodin.

— Pourquoi voulez-vous m'embrasser alors que vous aimez une autre femme ?

Il pinça les lèvres, contrarié par cette allusion.

— C'est donc la raison pour laquelle vous me repoussez ? Parce que vous aimez un autre homme ? Vous l'oublierez, femme. Dorénavant, je serai le seul à vous embrasser, alors autant vous faire une raison tout de suite.

Sur ces mots, il quitta brusquement la table. Visiblement, les paroles de la jeune fille l'avaient rendu furieux.

# 24

— Combien d'adversaires vas-tu massacrer, aujour-d'hui, avant de comprendre ce qui te tourmente vraiment ?

Tristan se tourna vers son frère. Bertrand observait chevaliers et écuyers affairés à panser leurs plaies et à soigner leurs bosses. Lors de son entraînement au glaive, Tristan leur avait fait passer un mauvais quart d'heure.

— Rien ne me tourmente, répliqua-t-il en baissant son arme.

Il secoua la tête en direction de l'écuyer qui lui servait d'adversaire, puis fronça les sourcils.

— C'est à toi que j'aurais dû me mesurer, lança-t-il à son frère.

— Merci de m'avoir épargné ! lança Bertrand en riant. Tu as une telle hargne que tu n'es même pas en nage !

— Tu aurais besoin d'un peu d'exercice, toi aussi, gronda Tristan d'un air menaçant.

— Ce qu'il te faut, c'est une bonne chope d'hydromel et un gigot bien juteux à dévorer.

— Tu mériterais d'être bouffon à la cour du roi Jean, répliqua Tristan. Il t'engagerait sur-le-champ. Qu'est-ce qui te rend d'humeur si taquine ?

— J'ai passé une excellente nuit avec ma femme. Toi, en revanche, tu as une humeur encore plus massacrante que lors de notre départ pour Dunburgh. Que s'est-il donc passé entre toi et ta fiancée ?

— Demande-moi plutôt ce qui ne s'est pas passé.

Tristan s'éloigna, marmonnant dans sa barbe. Bertrand le suivit.

— Alors, que ne s'est-il pas passé ? s'enquit-il.

Tristan le fusilla du regard et lui répondit d'un grommellement indistinct. Entrant dans l'étable, il s'arrêta devant le box de son étalon, voisin du destrier de Clothilde. Étrangement, c'est à Flèche que Tristan offrit le sucre qu'il gardait dans une bourse, à sa ceinture.

— Tu n'as pas peur qu'il t'arrache la main ? demanda Bertrand.

— Non. Flèche est très gourmand. Quand on lui donne du sucre, il devient doux comme un agneau.

— Tu es très courageux d'avoir essayé.

Puis il ajouta, déconcerté :

— Tu n'en donnes pas à ton propre cheval ?

— Il est déjà trop gâté, expliqua Tristan en haussant les épaules.

— Tu crois que Clothilde ne gâte pas le sien ?

— Si tel est le cas, cela ne durera pas. Quand les invités commenceront à arriver pour les noces, elle restera cloîtrée dans le donjon.

— Sage précaution, commenta Bertrand. Mais quel est donc le problème qui te mine ?

Tristan poussa un soupir et se passa la main dans les cheveux.

— J'ai envie de tuer un homme que je ne connais même pas.

— C'est normal. Je serais fou de rage si quelqu'un voulait du mal à ma...

— Non. Je ne parlais pas de l'agresseur de Clothilde. Celui-là ne perd rien pour attendre quand j'aurai mis le grappin dessus. Je pensais à l'homme à qui elle a donné son cœur. Au début, je m'en moquais. À présent, cette idée m'obsède jour et nuit.

— À quel moment as-tu commencé à l'aimer ? demanda Bertrand, stupéfait.

— Qui a parlé de l'aimer ? C'est ma fiancée. Il est intolérable que j'aie pour rival un illustre inconnu.

— Tu dois avoir appris son nom pour savoir que tu ne le connais pas.

— Non. Je cherche, avoua Tristan.

— Et si tu posais simplement la question à Clothilde ? hasarda Bertrand.

— Pour qu'elle pense que je veux du mal à son bien-aimé ?

— Tu viens de m'avouer que c'était le cas ! fit Bertrand en riant. Tu veux le tuer.

— C'était une façon de parler, répondit Tristan avec un geste agacé de la main. Et ne me dévisage pas ainsi ! J'ignore comment lui faire oublier cet homme. Pour cela, je dois savoir ce qu'elle lui trouve. Or, j'ignore de qui il s'agit. Peut-être peux-tu m'aider.

— Tu veux que j'interroge Clothilde ?

— Non. Pas elle. Elle ne te dirait rien. Parle plutôt à sa sœur, Jeanne. C'est une jeune femme douce, gentille, candide. Elle doit savoir qui est cet homme et te le dira peut-être.

— Et si elle refuse, je n'aurai qu'à la frapper jusqu'à ce qu'elle parle, déclara Bertrand.

— Je ne plaisante pas ! C'est une affaire très sérieuse.

— Seigneur, tu n'as donc plus aucun humour ! Tu prends cette histoire trop à cœur. Même si ta fiancée

aime un autre homme, c'est toi qu'elle va épouser, non ?
La crois-tu capable de te tromper ?

— Non. Je pense qu'elle respectera ses vœux. Mais
que penserais-tu si, en faisant l'amour à ta femme, tu
savais qu'elle s'imagine dans les bras d'un autre ?

— Tu marques un point. Je parlerai à sa sœur dès
aujourd'hui, promit Bertrand.

## 25

Clothilde était sidérée par la futilité des bavardages féminins. Cela faisait des années qu'elle ne s'était pas forcée à deviser avec les dames de compagnie au salon. Elle s'en serait bien passée si lady Anne n'était pas venue chercher les deux sœurs après le dîner. Toute à ses préparatifs, leur hôtesse les chargea de terminer une immense tapisserie avant le mariage.

Elles étaient installées au coin du feu, maniant leurs aiguilles. Seule la présence de lady Anne retint Clothilde de s'enfuir, de crainte de contrarier cette femme autoritaire.

Toutefois, elle se contenta de faire semblant de travailler sur cet ouvrage magnifique. La scène représentait un preux chevalier sur sa fière monture, avec sa suite, au sommet d'une colline verdoyante, guettant l'approche de quelque armée ennemie. Le chevalier se souciait si peu du danger imminent que, un faucon perché sur le poing, il riait aux éclats. Le tableau représentait-il sir Guy ? ou Tristan ? Qu'importe, elle ne voulait pas gâcher un portrait si flatteur de ses doigts malhabiles.

La conversation animée de lady Anne et de ses compagnes allait des détails sordides de l'accouchement à la taille démesurée du glaive d'un certain seigneur. Jeanne dut murmurer à l'oreille de sa sœur à quoi correspondait ledit glaive. Voyant Clothilde rougir, les autres dames furent rassurées.

Elles se calmèrent vite en constatant qu'elle n'avait rien d'une oie blanche. Ces taquineries étaient le lot de toutes les jeunes filles de son rang, mais Clothilde n'était pas une fiancée comme les autres. Sa réaction aux provocations paillardes de ses compagnes se limitait à une expression déconcertée.

Soudain, Clothilde sentit un regard étrange se poser sur elle. N'osant se retourner, elle chassa vite cette sensation troublante.

Ce devait être une illusion. Ne se trouvait-elle pas au milieu d'un groupe de femmes ? Elle s'efforça de s'en convaincre. Et si elle était étroitement surveillée au point que des gardes l'épient constamment ? Ce serait intolérable. Dans ce cas, elle ne manquerait pas de s'éclipser dès que lady Anne aurait quitté la pièce.

Jeanne était partie dans leur chambre pour chercher une bobine de fil bleu que son père avait rapporté de Terre sainte, parmi de nombreux trésors. Cette nuance de bleu convenait parfaitement pour figurer le regard du preux chevalier. C'était une généreuse pensée, car cette tapisserie n'était pas destinée à orner Dunburgh. En tout cas, Clothilde devait profiter de l'occasion pour s'esquiver sur la pointe des pieds.

Malheureusement, elle ne put fuir aussi vite qu'elle le souhaitait. Dans l'escalier menant à la cour, elle se vit barrer la route par Bertrand. Dans la matinée, lorsqu'elle était allée voir Flèche, on lui avait fait savoir qu'elle n'avait pas le droit de s'aventurer dehors sans escorte, même pour se rendre aux écuries. Aussitôt, elle avait décidé de se faire passer pour Jeanne à la prochaine occasion.

Au lieu de saluer froidement Bertrand d'un geste de la tête, comme à son habitude, elle lui adressa un sourire angélique digne de Jeanne. Elle savait à merveille imiter la candeur innocente de sa sœur.

La jeune fille espérait que Bertrand la laisserait passer, la prenant pour Jeanne. Elle n'imaginait pas qu'il engagerait la conversation avec elle.

— Lady Jeanne, puis-je vous dire deux mots ? Car vous êtes bien lady Jeanne, n'est-ce pas ?

Elle faillit lui avouer la vérité, espérant lui échapper, mais son expression énigmatique suscita sa curiosité.

— Que puis-je faire pour vous ? se contenta-t-elle de lui répondre pour ne pas mentir.

En agissant ainsi, elle n'était pas responsable de la méprise du jeune homme.

— Eh bien, voilà, lady Jeanne. J'ai appris que lady Clothilde éprouvait de tendres sentiments pour un homme qui n'est pas son fiancé. Or, mon frère n'est pas partageur, même si ledit attachement est innocent.

Clothilde se rappela aussitôt la colère de Tristan pendant le repas. Elle s'était demandé s'il n'était pas un peu jaloux de son rival. C'était étonnant, car il ne lui cachait pas son hostilité... quand il ne cherchait pas à l'embrasser.

— Que voulez-vous dire ? demanda-t-elle, faisant toujours mine d'être Jeanne.

— Tristan serait très contrarié que cet homme désire son épouse.

Ou que son épouse désire un autre homme ? Et que dirait cette épouse sachant que son mari aurait préféré s'unir à une autre ?

Certes, elle avait compris qu'elle n'était pas amoureuse de Roland. Peut-être pourrait-elle le devenir avec le temps. Pour l'heure, il n'était pour elle qu'un ami très cher. Tristan ne pouvait en dire autant de sa dulcinée.

Frustrée de ne pouvoir faire part de ses pensées à Bertrand, elle abandonna la bataille.

— À mon avis, un tel mari devrait être fier d'avoir une femme désirable.

— Certains le seraient, à sa place, concéda Bertrand avec un sourire.

— Pas votre frère ? fit-elle en levant les sourcils. Serait-il un peu jaloux ?

— Disons… agacé.

« Et alors ? » eut envie de répondre Clothilde, mais Jeanne était plus douce.

— L'amour est un sentiment auquel nous ne pouvons rien. C'est même une étrange maladie. Comment en vouloir à un homme qui tombe amoureux d'une femme qu'il n'a aucun espoir de séduire ? C'est si rare. On ne peut reprocher à une femme les sentiments d'une autre personne, tant qu'elle ne sollicite pas ces attentions.

Son sourire s'élargit : Jeanne n'aurait pas dit mieux.

— Tristan ne reproche rien à personne, lady Jeanne. Il aurait mieux valu qu'il ne connaisse pas l'existence de cet homme, mais votre sœur a cru bon de le mentionner.

— Cela l'agace aussi, je suppose.

— Non. J'en doute. Il est certain que, au fil du temps, sa femme l'aimera.

Clothilde dut ravaler une riposte pleine de mépris. Il était bien sûr de lui, cet arrogant. Ce petit jeu commençait à lui faire perdre patience, mais il lui restait un point à éclaircir.

— Quelle est la raison de cette discussion, sir Bertrand ?

Elle comprit son erreur en le voyant rougir. Son ton était trop direct. Jeanne ne mettait jamais les gens mal à l'aise.

— J'espérais pouvoir rassurer mon frère en l'informant qu'il se tourmentait pour rien. En fait, j'espérais obtenir de vous le nom de ce rival, afin de pouvoir lui parler et savoir s'il aime lui aussi lady Clothilde. Mon frère se réjouirait de savoir qu'il peut se marier sans se soucier de l'avenir.

— En effet, admit Clothilde. Mais je ne puis vous aider. Adressez-vous à ma sœur, sir Bertrand. Elle ne m'a jamais révélé le nom de son bien-aimé.

La jeune fille ne voulait pas que l'on importune Roland alors qu'elle ne lui avait jamais fait part de son désir de l'épouser.

Bertrand parut sceptique.

— Jamais ? Vous êtes pourtant sœurs. Je pensais que vous partagiez tout.

Clothilde ne put s'empêcher de rire.

— Certains sujets sont trop personnels. Je suis certes au courant de son… affection pour un homme, mais elle ne l'a jamais nommé. En fait, elle l'appelle son doux géant.

— Alors je vais devoir m'entretenir avec elle, conclut Bertrand avec un soupir de découragement.

— Bonne chance à vous ! Cela m'étonnerait qu'elle vous confie ce qu'elle se refuse à me dire. Mais il ne vous coûte rien d'essayer.

# 26

Clothilde ne put finalement quitter le donjon. À cause de sa ressemblance avec Jeanne, les gardes avaient reçu l'ordre de ne laisser passer aucune des deux sœurs.

Maudites consignes de prudence ! Au grand dam de la jeune fille, Tristan avait pensé à tout. À quoi bon demeurer à Shefford si elle n'était toujours pas en sécurité ? S'il lui fallait une armée de protecteurs, elle aurait pu rester chez elle, à Dunburgh. En réalité, Tristan ne faisait confiance qu'à ses gens, car Shefford ne comptait aucun mercenaire.

Au comble de la colère, Clothilde faillit aller lui faire part de sa façon de penser. Puis elle songea à leur dernière entrevue et à la rage de Tristan. Celui-ci ne manquerait pas de lui lancer des remarques cinglantes à l'occasion du souper. La jeune fille passa donc le reste de la journée à assouvir sa frustration sur sa tapisserie, maniant cette fois son aiguille tel un poignard qu'elle planterait dans le corps de Tristan.

Sa sœur, qui travaillait à côté d'elle, défaisait patiemment les points irréguliers et maladroits sans faire aucun commentaire. Clothilde était trop préoccupée pour s'en rendre compte.

Plus que quiconque, elle aurait voulu savoir qui voulait sa mort avec un tel acharnement. Avec ces gardes qui la suivaient comme son ombre, elle ne l'apprendrait jamais par elle-même. La moindre tentative d'agression était désormais vouée à l'échec. Pourquoi ne pas laisser venir à elle l'homme qui l'attaquerait afin de mieux le démasquer ?

Certes, elle ne se croyait pas invulnérable, ni capable de maîtriser toutes les situations. Mais ses animaux familiers la protégeraient et inspireraient moins de méfiance que les quatre gardes armés qui l'escortaient.

Aussi décida-t-elle de ne plus quitter ses animaux, du moins le loup et le faucon. Surtout le loup qui, à première vue, paraissait apprivoisé. Il était pourtant capable de dépecer trois adultes en quelques secondes, tandis que le faucon pouvait en affoler plus d'un avec ses serres. La jeune fille pourrait s'aventurer en dehors du donjon, tout en restant dans l'enceinte du château.

Pour se promener dans la campagne de Shefford, qu'elle ne connaissait pas très bien, elle acceptait la présence de gardes. Après tout, elle n'était ni stupide ni inconsciente. Nul n'allait tenter de l'éliminer à l'intérieur des courtines alors qu'il n'existait aucune chance de s'échapper ensuite.

Le soir, quand vint l'heure du souper, elle se prépara à exposer ses arguments à Tristan. Le loup était couché sous la table, à ses pieds, et le faucon sagement perché sur son épaule. Malheureusement, Tristan ne se présenta pas.

Le repas commença. Toujours pas de Tristan. Cette absence l'agaçait. C'était pourtant lui qui insistait pour qu'ils soient réunis le plus souvent possible, et elle l'avait à peine vu de la journée.

En quittant l'estrade, à la fin du repas, elle aperçut enfin son fiancé. Sur le seuil, il balayait la salle du regard. Ses yeux bleus se posèrent sur elle, vides de toute expression. Il se contenta de mordre dans une cuisse de perdreau et d'en arracher une bouchée de viande.

Il était passé chercher de quoi se sustenter plutôt que de partager le repas de la jeune fille. À Shefford, les cuisines se trouvaient dans la cour. Aussi était-il facile de se nourrir sans passer par la grande salle. Du moins pour Tristan, qui n'était pas confiné dans le donjon. Il pouvait éviter Clothilde sans mourir de faim.

Si seulement elle pouvait en faire autant ! songeait-elle. Mais Tristan avait pris soin de lui faire remarquer qu'elle n'avait pas le choix, ce qui ne faisait qu'attiser sa colère.

Elle n'attendit pas qu'il vienne vers elle. En fait, il semblait peu enclin à la rejoindre, car il n'avait pas bougé. D'ailleurs, elle se moquait de le voir mal disposé, puisque elle-même n'était pas au comble de la joie.

— J'aimerais vous dire un mot en particulier, déclara-t-elle en le rejoignant à contrecœur.

Tristan leva les sourcils. Elle se rappela qu'il lui avait fait la même requête et qu'elle avait refusé.

— Je ne cherche pas à vous embrasser, précisa-t-elle, lisant dans ses pensées.

— Alors autant me parler tout de suite. Si je me retrouve seul avec vous, je vais vous embrasser.

En entendant ces mots, elle rougit, la gorge nouée par l'émotion. Pourtant, Tristan n'avait pas parlé d'une voix chaude et sensuelle, loin de là. Il était morose et son expression semblait indifférente.

Étrangement, c'était le trouble qu'elle ressentait au plus profond d'elle-même qui la tourmentait.

— J'aimerais vous parler de mon emprisonnement dans ce donjon.

— Vous n'êtes pas en prison, il me semble, répondit-il d'un air narquois.

— Je ne peux même pas aller voir mon cheval sans être assaillie par une nuée de cloportes.

— Des cloportes ?

— Ces maudits gardes que vous m'avez attribués.

Il la dévisagea longuement, puis sourit.

— Ces ordres ne viennent pas de moi. J'ai pris mes propres dispositions. C'est à mon père que vous devez la présence continuelle de cette escorte. Vous êtes autant sous sa protection que sous la mienne, à présent.

Clothilde ravala un commentaire plein de sarcasme.

— C'est intolérable, dit-elle simplement.

— Votre calvaire risque d'empirer tant que le problème ne sera pas réglé.

— Je ne vois rien de pire. Et ces mesures ne sont même pas nécessaires. Regardez.

Elle désigna son loup, assis à ses pieds, puis prit Rhiska sur son poing ganté. Le rapace ne chercha pas à s'envoler, mais déploya ses ailes.

— Voilà toute la protection dont j'ai besoin dans l'enceinte de Shefford. Dites-le donc à votre père.

Elle regretta aussitôt de lui avoir donné un ordre. Tristan plissa le front et pinça les lèvres. Manifestement, il n'appréciait pas son arrogance.

— Mon père est assis au coin du feu, répondit-il. Vous avez une langue et vous savez vous montrer fort éloquente. À vous de jouer.

Il voulut s'éloigner, mais elle le retint par le bras.

— Il vous écoutera, vous.

— Je serai plus enclin à vous écouter, quand vous vous exprimerez de façon plus... féminine.

— Vous voulez que je vous supplie, c'est cela ?

— C'est une perspective intéressante, mais...

— Autant me couper la langue.

— ... mais vaine, disais-je. Je pensais plutôt à un ton aimable, un sourire, un peu de chaleur. C'est étrange, vous ne semblez pas savoir ce que cela signifie.

Clothilde se retint de l'insulter. S'adresser à lui sur un ton aimable ? Alors qu'il ne faisait qu'aviver son ressentiment ? Qu'il la provoquait à la moindre occasion ? Qu'en serait-il au lendemain de leur mariage ? Si ce jour arrivait...

# 27

La semaine suivante s'écoula sans encombre. L'approche du mariage tourmentait Clothilde chaque jour davantage. La jeune fille parvint à éviter toute altercation avec Tristan, mais ils se parlaient à peine. Lors des repas, il n'exigeait plus d'elle qu'elle affiche la mine radieuse d'une fiancée épanouie.

Ce silence la déstabilisait. Tristan semblait tendu, mais pas en colère, de sorte que la jeune fille était sans cesse sur le qui-vive sans vraiment savoir pourquoi.

Lady Anne proposait à ses compagnes de nombreux divertissements. Elle organisa même une petite fête dans ses appartements pour célébrer l'achèvement de la tapisserie. L'ouvrage ornait avantageusement la majestueuse cheminée de la grande salle. Avec ses yeux bleu vif, le preux chevalier ressemblait plus à lord Guy qu'à son fils. Clothilde s'en réjouit, même si ce visage familier attirait constamment son regard.

Par deux fois, des troubadours vinrent distraire les gens du château. Même Clothilde s'amusa, oubliant le temps d'une soirée son envie de s'évader de Shefford.

Désireuse de l'initier à son futur rôle de maîtresse du château, la mère de Tristan ne la quittait pas d'une semelle. La jeune fille n'osa lui avouer que ces tâches féminines lui étaient étrangères. Elle parvint toutefois à donner le change, laissant sa future belle-mère à ses illusions.

Anne était une femme pleine d'énergie que ses dames de compagnie sollicitaient à tout moment. Pourtant, elle n'accusait jamais la fatigue, comme si ses nombreuses activités la maintenaient toujours jeune.

Malheureusement pour Clothilde, elle ne s'absentait que rarement du donjon. Une seule fois, elle était sortie voir ses cuisiniers. Ceux-ci venaient en général la trouver pour lui suggérer plats et menus. De plus, elle déléguait les tâches qui l'obligeaient à quitter le donjon.

Lady Anne lui avoua un jour qu'elle n'aimait guère les rigueurs de l'hiver. Clothilde, elle, ne rêvait que d'une promenade vivifiante dans la campagne environnante.

En fait, le soleil d'hiver lui manquait. Au moins une fois par jour, la jeune fille se promenait dans la cour sous bonne escorte. Une tempête de neige mit fin à ses promenades quotidiennes. Elle trouvait la neige déprimante quand elle ne pouvait profiter de sa beauté. Dans la cour, le perpétuel va-et-vient avait transformé le fin manteau blanc en boue.

En réalité, Clothilde appréciait la compagnie de lady Anne. Un jour, elles allèrent chercher des épices d'Orient dans la chambre du seigneur, où lord Guy les conservait dans un coffre-fort. Une fois dans la cuisine, Anne suggéra de les utiliser à l'occasion du banquet du mariage qu'elle souhaitait avancer.

Clothilde devait fournir une explication à son refus d'épouser Tristan plus rapidement que prévu. Par chance, elle eut le temps d'y réfléchir, car Anne fut sollicitée par le cuisinier. Les deux femmes ne se retrouvèrent seules que dans la chambre du seigneur.

— Une semaine de moins ne fera pas grande différence, vous devez l'admettre. Quand vous serez mariés, vous ne risquerez plus rien.

— Ce n'est qu'une hypothèse, lui fit remarquer Clothilde. Ces agressions ont peut-être un tout autre motif.

— J'en doute.

— Mais c'est possible. Elles sont peut-être le fait de quelque fou qui m'en veut et qui n'a rien à voir avec Shefford.

Anne fronça les sourcils.

— N'avez-vous pas été attaquée par un groupe d'hommes ? Cela ne ressemble en rien à l'acte d'un dément.

— À mon avis, ma première mésaventure n'a rien à voir avec les autres, reprit Clothilde.

— Pourquoi ?

— Ils semblaient décidés à m'enlever, sans doute pour réclamer une rançon à mon père. Alors que les deux autres attentats avaient clairement pour but de me tuer. L'homme qui m'a attaquée au monastère est mort. Il ne me menace plus. Le premier groupe de brigands cherchaient probablement à profiter de la tendresse que mon père éprouve pour moi. Aujourd'hui, ils peuvent très bien avoir abandonné leur projet.

Clothilde aurait aimé le croire. Toutefois, elle savait que son agresseur travaillait pour une tierce personne. Inutile d'en parler à lady Anne.

— En outre, ajouta-t-elle, cherchant à semer le doute dans l'esprit de son hôtesse, si une semaine d'avance ne change rien, une semaine de retard non plus. Les invitations ont déjà été lancées. Et si le roi avait décidé de venir ? Il serait furieux de constater à son arrivée que la cérémonie a déjà eu lieu.

Lady Anne plissa le front. Mieux valait ne pas contrarier le souverain, surtout le roi Jean. Il ne viendrait certainement pas, trop occupé à préparer sa prochaine campagne, mais rien n'était certain. Ils l'avaient invité uniquement pour ménager sa susceptibilité. Quant aux autres invités, ils seraient peut-être contrariés par un changement de date.

— Très bien, concéda Anne. Nous veillerons à ce que vous soyez sous bonne garde.

Clothilde se dit que c'était déjà le cas. Lorsqu'elle avait confié à Jeanne que la présence d'Anne ne la gênait pas outre mesure, sa sœur lui avait répondu :

— C'est une mère, après tout. Sans que nous en soyons conscientes, l'influence d'une mère nous a manqué. Voilà pourquoi tu acceptes aussi facilement qu'elle te traite comme sa fille. J'aime lire la tendresse dans son regard quand elle me prend pour toi. Cette douceur produit sans doute le même effet sur toi.

Clothilde se garda de la contredire. Elle aurait volontiers accepté Anne comme belle-mère, si seulement elle n'était pas obligée d'épouser son fils…

# 28

La tempête de neige faisait rage et un froid glacial s'engouffrait dans les meurtrières, envahissant la grande salle, les escaliers de pierre, s'insinuant dans les moindres recoins du donjon. Pour se réchauffer, les habitants du château portaient leurs capes d'hiver et buvaient de l'hydromel. Tous se rassemblaient autour de la vaste cheminée où un bon feu crépitait.

Un soir, jugeant qu'il était trop tôt pour se retirer, lady Anne envoya Clothilde chercher un manteau dans sa chambre, tandis qu'un vieux conteur danois distrayait les châtelains de ses légendes scandinaves ancestrales.

Clothilde eut envie de suggérer à lady Anne de porter des chausses, comme elle, mais elle se ravisa, de peur de la choquer. Bien qu'elle fût chaudement vêtue, elle se précipita dans l'escalier pour s'acquitter au plus vite de sa mission.

Elle avait laissé Rhiska avec Jeanne dans la salle, car le faucon semblait lui aussi frigorifié. Seul le loup, peu sensible aux rigueurs de l'hiver, suivit sa maîtresse.

Le faible éclairage – une simple torche allumée en haut des marches – et sa précipitation l'empêchèrent de voir l'homme qui arrivait en face d'elle et elle le heurta violemment.

Aussitôt, le loup se mit à grogner, montrant les crocs. Clothilde faillit le faire taire, mais elle se ravisa, préférant s'assurer de l'identité de l'inconnu.

Très vite, sentant l'odeur de l'homme, l'animal se calma. La jeune fille sut alors qu'elle ne risquait rien.

D'un air menaçant, Tristan la saisit par les épaules et lui lança :

— Oserais-je espérer que vous m'avez suivi jusqu'ici pour de bonnes raisons ?

Il n'eut aucun mal à identifier la jeune fille à la lueur de la torche. Comment avait-il pu aussi facilement la distinguer de Jeanne, puisque les deux sœurs étaient vêtues de façon identique ?

— Votre mère m'a chargée d'aller lui chercher un manteau, lui expliqua-t-elle. Mais soyez certain que si je vous avais vu…

— Si vous me dites que vous seriez partie en courant dans la direction opposée, je vous étrangle de mes propres mains.

Clothilde se figea. Elle était en effet sur le point de lui assener une réflexion bien sentie.

— Voilà qui ne me surprend guère, déclara-t-elle.

— Je plaisantais ! répliqua Tristan en soupirant.

— Ah bon ? fit-elle sans se moquer de lui.

Elle ne voulut plus qu'une chose, s'éloigner au plus vite. Mais son fiancé refusait de la lâcher. Néanmoins, il lui permit de gravir une dernière marche, afin qu'elle ne se sente pas aussi petite en sa présence.

— Vous semblez vous méfier de moi. Vous ai-je jamais donné à craindre que j'allais vous frapper ? Et ne me parlez pas de cette fois où vous étiez déguisée en paysan insolent. D'ailleurs, je n'ai pas levé la main sur vous car je vous prenais pour l'idiot du village.

Il n'avait nul besoin de lui rappeler cette anecdote. Elle avait des souvenirs plus pénibles en tête.

— Si vous pouvez faire du mal à un animal, dit-elle, vous pouvez brutaliser une femme. D'ailleurs, vous avez menacé Flèche et vous l'auriez battu si je n'étais pas intervenue.

— Vous vous comparez donc à un animal ? demanda-t-il en souriant.

— Non, répondit-elle, insensible à son humour. Mais vous possédez les instincts d'une bête.

Furieux, il crispa les mains sur les épaules de la jeune fille. Cette réponse le contrariait au plus haut point. Clothilde s'en mordit les doigts. Pourquoi fallait-il qu'elle lui fournisse de nouvelles raisons de lui en vouloir ?

Pour réparer son impair, elle essaya de détourner son attention en lui posant une question simple qui, l'espérait-elle, mettrait un terme à leur conversation.

— Comment avez-vous su qu'il s'agissait de moi et non de ma sœur ? J'aurais pu envoyer le loup avec elle. Comment avez-vous deviné ?

— Outre votre parfum, qui est unique, vous avez la fâcheuse manie de pincer les lèvres comme si vous étiez agacée. Pourtant, vous n'avez aucune raison de l'être.

— Vous croyez vraiment ? rétorqua-t-elle.

— Pensez-vous que j'aime me disputer avec vous ? Je vous assure que non. Pourriez-vous en dire autant ?

Le débat était relancé. Clothilde trouva néanmoins un moyen de prendre congé.

— La meilleure façon de ne pas nous disputer est de nous séparer sans tarder, c'est pourquoi je vous souhaite le bonsoir.

Elle voulut s'éloigner, mais il la tenait toujours par les épaules.

— Pas si vite ! Vous m'avez accusé d'avoir des instincts bestiaux. Au risque de vous décevoir, jolie demoiselle, je vais vous le prouver.

Le cœur de Clothilde se mit à battre la chamade. Tristan l'attira contre lui. Au moment où ses lèvres s'emparèrent des siennes, elle sentit l'intensité de son désir.

Il l'embrassa avec une passion empreinte de tendresse. Ces sentiments mêlés affolèrent la jeune fille. Incapable de résister à la vague de désir qui s'emparait d'elle, elle sentait leurs corps se fondre l'un dans l'autre. Les mains de Tristan parcouraient son dos, ses hanches, sa taille, la plaquant contre lui.

Clothilde fut submergée par une vague de plaisir encore inconnu, comme si ces sensations magiques naissaient au plus profond d'elle-même. Sans s'en rendre compte, elle enroula les bras autour de son cou.

Croyant qu'elle s'abandonnait à lui, il la souleva dans ses bras. Ce geste ramena Clothilde à la réalité.

— Pourquoi me portez-vous ? demanda-t-elle, au bord de la panique.

— Pour aller plus vite.

— Plaît-il ?

— Nous arriverons plus vite à destination.

— Où allons-nous ? D'ailleurs, je m'en moque. Posez-moi, je vous prie !

— J'en ai bien l'intention.

Tristan la déposa sur un lit moelleux et vint s'allonger contre elle. En se rendant compte qu'il la maintenait prisonnière de son étreinte, la jeune fille étouffa un cri. Toutefois, ses craintes s'envolèrent en quelques secondes. Tristan se mit à l'embrasser avec une volupté telle que la jeune fille oublia tout.

Le poids de son corps sur le sien faisait naître en elle mille sensations. Elle eut envie de l'attirer plus près d'elle encore, de lui rendre ses baisers, de…

Son esprit se mit à vagabonder. Tristan l'enivrait de baisers et de caresses, auxquels elle répondait avec ferveur, le souffle court, laissant libre cours à son plaisir.

Elle ne le sentit pas soulever ses jupons. Puis une main douce et chaude se posa sur son ventre nu, pour une caresse furtive, avant de s'aventurer plus bas.

Lorsqu'il glissa les doigts entre ses cuisses, Clothilde se dit qu'il ne fallait pas, mais la main experte de Tristan continua son exploration sensuelle. C'était une sensation nouvelle, troublante, à la fois apaisante et excitante. Puis la tension monta d'un cran, et la jeune fille fut emportée par une vague de plaisir.

Il y eut une toux discrète. Puis quelqu'un s'éclaircit la gorge. Tristan ne put réprimer un juron. Le sentant se soulever de son corps, Clothilde comprit enfin que quelqu'un se trouvait dans la pièce. En ouvrant les yeux, elle découvrit Guy de Thorpe sur le seuil de sa propre chambre, là où Tristan l'avait amenée. Son futur beau-père fixait nonchalamment ses ongles.

Clothilde rougit violemment, mortifiée. Incapable de supporter une telle honte, elle se releva d'un bond et s'enfuit à toutes jambes.

En regagnant la grande salle, elle dut expliquer à lady Anne que son fils l'avait retardée. Qu'avait-elle fait ? Qu'allait penser Guy de Thorpe ? Elle ne possédait aucune excuse, car elle avait savouré chaque seconde de cette entrevue sensuelle avec Tristan.

# 29

— Père, je crains que votre arrivée ne soit un peu… inopportune, grommela Tristan dès que les pas de Clothilde cessèrent de résonner dans le couloir.

— Assurément, mon fils. Je te rappelle que la cérémonie n'a lieu que dans une semaine. D'ici là, tu n'as pas le droit de te comporter ainsi au regard de Dieu.

— Épargnez-moi un sermon auquel vous ne croyez pas vous-même.

Guy se mit à rire.

— D'accord, mais tu as de la chance que ce soit moi qui ai ouvert la porte et non ta mère. Tu imagines le scandale ? À quoi pensais-tu donc en amenant ta fiancée ici ?

Tristan rougit. Dans sa fougue, il n'avait guère prêté attention à ce détail, se précipitant vers le premier lit venu. Jamais de sa vie, il n'avait ainsi cédé à ses pulsions sans réfléchir aux conséquences de ses actes.

Clothilde avait le don de lui faire tout oublier. Que ce soit de la colère ou de la passion, qu'importait la raison. Il lui suffisait de l'apercevoir pour avoir envie d'elle. Et ce désir le taraudait.

La semaine qui le séparait de son mariage lui semblait une éternité.

— Je n'ai pas réfléchi, avoua-t-il à son père. Je vous cherchais. Clothilde venait prendre un manteau pour mère. Nous nous sommes croisés par hasard.

Guy hocha la tête, compréhensif. Quel homme n'avait jamais été guidé par ses seuls instincts ?

— Me cherchais-tu pour une raison grave ?

— Non, pas vraiment, mentit Tristan. Simple curiosité.

— Alors ? fit Guy, voyant que son fils ne parlait pas.

— Savez-vous qui pourrait avoir le surnom de « doux géant » ?

— Le roi Richard, répondit Guy après réflexion. Il mesurait plus d'un mètre quatre-vingts.

— Non. Ce n'est pas lui. Il s'agit d'un homme qui est encore de ce monde.

— Eh bien, mon vassal Raoul Fitzhugh est très imposant. Mis à part Richard Cœur de Lion, il est le plus grand que je connaisse. Mais, c'est un guerrier avant tout. Alors, de là à le qualifier de doux...

— C'est une question de point de vue. De plus, Fitzhugh est trop âgé.

— Comment cela ? Il est dans la force de l'âge, protesta Guy, un peu vexé.

— Je ne voulais pas dire qu'il était vieux, mais il n'a pas l'âge de celui que je recherche. C'est plutôt un homme de ma génération.

— Pourquoi recherches-tu un géant ? s'enquit Guy en fronçant les sourcils.

— J'ai entendu parler de lui et j'aimerais savoir de qui il s'agit.

— Adresse-toi à la personne qui t'en a parlé.

— Si je le pouvais, je l'aurais fait, reprit Tristan. Tant pis pour moi ! En fait, c'était simplement de la curiosité de ma part. Comme vous venez de le dire, un géant est rarement très doux.

— Tu as éveillé ma curiosité avec tes mystères, déclara Guy. Si tu as du nouveau, n'oublie pas de m'informer.

Tristan brisa la couche de glace qui couvrait son étang favori, dans les bois, et se plongea dans l'eau froide. Rien ne valait un bain glacé pour s'éclaircir les idées et calmer ses ardeurs.

La tempête faisait rage, mais le vent était un peu tombé. Seuls les flocons de neige voletaient doucement, drapant le paysage d'un épais manteau blanc dans cette nuit sans lune.

Après quelques minutes passées dans l'eau glaciale, Tristan reprit le chemin du château. Il se repéra à la torche qui brûlait au-devant de lui, l'esprit tourmenté par Clothilde et son doux géant.

Bertrand avait relaté à son frère sa conversation avec Jeanne. Celle-ci mentait en affirmant ne pas connaître l'élu du cœur de Clothilde. Elles cherchaient manifestement à protéger cet homme, d'où l'importance de découvrir son identité. Il devait exister une possibilité pour que leurs chemins se croisent, sinon les sœurs n'en feraient pas tout un mystère.

Soudain, Tristan se rendit compte qu'il s'était mépris. La torche qu'il suivait était en fait un feu de camp autour duquel étaient installés trois hommes. Il n'hésita pas à s'approcher, persuadé de n'avoir pas pu quitter le domaine de Shefford.

— Que faites-vous ici alors que vous pourriez demander asile au château ? leur demanda-t-il.

Les trois hommes s'étaient levés dès qu'ils l'avaient aperçu. Ils l'observaient avec méfiance, prêts à sortir leurs armes. C'était naturel, car ils ne le connaissaient pas. De nombreux brigands envoyaient un homme pour faire diversion avant d'attaquer leurs proies.

— Nous ne sommes pas des braconniers, mon seigneur, clama l'un d'eux.

Ils ressemblaient en effet à des mercenaires.

— Ne t'inquiète pas, assura Tristan. Je n'en pensais rien. Les braconniers rentrent chez eux à la nuit tombée.

— Nous ne faisions que passer dans ces bois, renchérit un autre. Nous avons quitté la route par peur des brigands.

Tristan hocha la tête. C'était une explication plausible. Les étrangers ne pouvaient savoir qu'il n'y avait pas de brigands sur les terres de Shefford. Bien sûr, ce pouvait être des opposants au roi cherchant à punir son père de sa loyauté, mais il en doutait.

— Si vous cherchez un engagement, reprit-il, Shefford n'a rien à vous proposer. Mais, par un temps pareil, ne serait-il pas préférable pour vous de dormir auprès d'une cheminée ?

Soupçonneux, Tristan leur tendait un piège. En alerte, il les observa de plus près.

Si les deux premiers avaient des allures de paysans, le troisième, plus imposant, avait un air intelligent et une certaine prestance. Il était clair qu'il n'avait peur de rien. En général, quiconque ne craignait pas Tristan était soit stupide, soit redoutable.

— Un toit et un bon feu de cheminée seraient appréciés, répondit-il enfin. Mais on raconte que Shefford ne reçoit aucun visiteur. C'est d'ailleurs pourquoi nous n'avons pas osé solliciter l'hospitalité. Les châtelains feraient-ils une exception par ce mauvais temps ? Nous ne voudrions pas nous faire renvoyer à la grille d'entrée.

— Je vous ferai entrer.

— Et qui êtes-vous, je vous prie ?

— Je m'appelle Tristan de Thorpe.

— Ah, le fils du grand comte, commenta l'homme avec un sourire. Je suis enchanté de vous rencontrer, mon seigneur. Vous jouissez d'une excellente réputation dans tout le pays.

— Vraiment ? fit Tristan, sceptique. Si vous souhaitez me suivre, dépêchez-vous. Je commence à avoir froid.

Les quatre hommes se hâtèrent en direction du château. Tristan chargea un garde de procurer aux trois visiteurs ce dont ils avaient besoin, tout en les surveillant discrètement. Il voulait être certain qu'ils quitteraient bien le château dès l'aube.

Mais, le lendemain matin, le garde chargé de leur surveillance avait disparu. Tristan le découvrit plus tard dans les bois, la gorge tranchée. Quant aux trois hommes, ils s'étaient volatilisés. Les patrouilles avaient ordre de les arrêter.

Furieux de ne pouvoir s'en occuper lui-même, Tristan promit même une récompense pour leur capture. Si leur chef était aussi intelligent qu'il le croyait, ils ne mettraient jamais le grappin dessus. Mais il ne pensait pas sérieusement qu'ils avaient quitté la région.

# 30

À l'approche de la cérémonie nuptiale, les invités commençaient à affluer au château. Le roi Jean était convié aux noces, mais nul ne s'attendait vraiment à sa venue. C'est pourquoi, cinq jours avant la cérémonie, les gardes virent non sans étonnement approcher l'impressionnante suite du souverain.

La présence du roi d'Angleterre pouvait se révéler un honneur ou une catastrophe. Quand il ne restait qu'un jour ou deux, c'était un grand honneur pour son hôte. S'il s'éternisait, c'était un désastre car sa suite épuisait vite toutes les réserves du château, laissant les châtelains démunis.

Fort heureusement, le comte de Shefford avait tout prévu, faisant venir des provisions des bourgs environnants et même de Londres. De nombreux vassaux avaient en outre apporté leur contribution en nature.

Au cours des dernières semaines, chasseurs et fauconniers s'étaient démenés. Salaisons et gibier abondaient. Chaque repas devait être somptueux en l'honneur du roi.

Lady Anne devrait sacrifier une grande partie de ses précieuses épices, mais elle ne s'en souciait guère, trop heureuse de la présence de compagnes qui lui rapporteraient les derniers ragots de la Cour.

164

Si l'approche de son mariage ne l'avait pas rendue aussi anxieuse, Clothilde se serait réjouie de rencontrer le roi pour la première fois. Son père n'était pas encore arrivé et n'avait même pas prévenu de la date de sa venue, ce qui ne faisait qu'amplifier l'inquiétude de la jeune fille.

Elle redoutait en effet que lord Nigel ne vienne pas, de peur de devoir honorer la promesse qu'il lui avait faite. En restant chez lui, il était certain que le mariage aurait lieu, car tout le monde y tenait, sauf elle… et son fiancé.

En fait, Clothilde commençait à avoir des doutes sur les intentions réelles de Tristan. N'avait-il pas failli lui faire l'amour dans la chambre de son propre père, ce qui aurait rendu toute annulation impossible ? Le jeune homme se conduisait d'ailleurs comme s'il était résigné à la prendre pour femme.

De toute évidence, il ne pensait plus pouvoir empêcher cette union. Après tout, une fois marié, rien ne l'empêchait de chercher l'amour et le bonheur dans d'autres bras. Une femme n'avait pas cette liberté. Elle risquait de se faire tuer par jalousie ou de rester cloîtrée dans un donjon pour le reste de ses jours.

Encore une raison pour que Clothilde regrette d'être née femme. L'arrivée du roi Jean ravivait ses pires craintes. Jeanne lui avait déclaré que la présence du souverain rendait l'union inévitable. N'était-il pas venu pour être témoin de leur mariage ? À présent, la rupture était impossible !

Clothilde ne voulait pas entacher l'honneur de sa famille ni contrarier les parents de Tristan qu'elle aimait beaucoup. Existait-il une issue à ce piège ?

Le soir, à l'heure du souper, Clothilde fut officiellement présentée au couple royal. Jeanne veilla à la toilette de sa sœur. Le bliaud de velours bleu vif pesait comme un fardeau sur ses frêles épaules. La reine trouva les sœurs ravissantes, ce qui flatta beaucoup Jeanne.

Fidèle à sa réputation, la reine était resplendissante. Les autres invités restaient médusés face à sa beauté radieuse. Même Clothilde en fut impressionnée.

Quant au roi Jean, il était encore fort bel homme, avec son sourire ravageur. Difficile de croire qu'il puisse avoir autant d'ennemis dans son propre royaume. Les femmes restaient toutefois acquises à sa cause. La jeune fille se demanda s'il continuait à accumuler les conquêtes, après avoir épousé une créature aussi parfaite.

Plus tard dans la soirée, un serviteur du roi vint quérir Clothilde. Le couple royal souhaitait lui présenter ses félicitations. N'osant refuser cet honneur, la jeune fille se rendit malgré elle auprès du roi.

Jeanne lui avait conseillé de se montrer polie, car Nigel avait besoin de la bénédiction du roi pour ce mariage. Clothilde savait qu'elle ne pouvait faire part de ses états d'âme à un homme tel que Jean, qui ne proposait son aide que s'il y trouvait quelque bénéfice.

La reine, en revanche… Clothilde songea à se confier à elle. Isabelle était jeune et semblait accessible. De plus, elle seule pouvait comprendre son malheur.

Pourtant, Clothilde hésitait. Mieux valait lui parler en particulier dans un premier temps, pour savoir si elle pouvait compter sur sa compréhension.

En entrant dans la chambre du roi, la jeune fille constata qu'il était seul. Elle ne s'inquiéta pas outre mesure en entendant la porte se refermer lourdement derrière elle. La reine Isabelle n'allait certainement pas tarder à les rejoindre.

Le roi Jean était vêtu d'une longue tunique. Il s'était baigné et parfumé car d'agréables effluves musqués flottaient dans la pièce.

La pièce était chauffée par une immense flambée. On ne reculait devant aucun sacrifice pour le confort du roi. Installé dans un fauteuil de bois sculpté, tel un trône, posé au milieu de la pièce, il buvait dans une coupe incrustée de pierres précieuses. Clothilde en conclut qu'il avait apporté une partie de son trésor avec lui. Il dévisagea la jeune femme en silence.

Ce regard appuyé finit par la mettre mal à l'aise. Elle trouvait son attitude peu courtoise.

— Approche, mon enfant, déclara-t-il enfin. J'aimerais t'admirer de plus près.

La chambre était pourtant bien éclairée. N'osant lui faire une réflexion désobligeante sur son acuité visuelle, Clothilde obéit.

Le roi la toisa sans vergogne. C'est ainsi qu'il avait l'habitude de traiter ses barons pour les déstabiliser. Agacée par l'attitude du souverain, Clothilde redoutait de commettre un impair sous le coup de la colère.

— Il aurait dû me préciser que tu étais jolie, reprit le souverain, au grand désespoir de la jeune fille.

— Qui cela ? balbutia Clothilde.

Au lieu de répondre à cette question, le roi déclara d'un air mystérieux :

— Mais il existe bien des moyens d'obtenir ce que l'on souhaite, n'est-ce pas ? Certains sont même particulièrement agréables.

— J'ignore de quoi parle Votre Majesté.

— Viens t'asseoir. Je vais t'expliquer, dit-il d'une voix suave en tapotant sa cuisse.

— J'ai passé l'âge de m'asseoir sur les genoux des hommes, répondit-elle.

Il rit, les yeux brillants de malice.

— Il n'y a pas d'âge pour cela…

Clothilde ne comprenait pas très bien ce qui l'amusait à ce point, mais elle refusait de s'exécuter. Jean avait peut-être l'âge d'être son père, mais ce n'était pas une raison pour se comporter de la sorte. De plus, son sourire était trop langoureux.

Heureusement, il était marié à une femme superbe qui devait combler ses appétits. Sans doute aimait-il admirer les jolies femmes. Avant son mariage, il aurait peut-être cherché à la séduire, mais plus maintenant...

— Il se fait tard, bredouilla-t-elle. Si Votre Majesté souhaite me parler, qu'elle le fasse maintenant. J'aimerais aller me coucher.

Jean se tourna vers son propre lit et fronça les sourcils.

— Serais-tu aussi innocente que tu en as l'air, ma belle enfant ?

— Comment cela ? répondit-elle, intriguée.

— Aimes-tu le jeune Thorpe ?

Cette question inattendue lui ouvrit de nouvelles perspectives. Elle n'était pas venue lui confier ses soucis, mais puisqu'il lui posait la question, elle ne pouvait s'en cacher.

— Je dois avouer que non, déclara-t-elle.

— Parfait.

Il lui adressa un sourire charmeur.

— Ainsi, tu ne seras pas chagrinée s'il te répudie.

— J'aimerais tant qu'il le fasse ! Mais il s'est résigné à cette union, ajouta-t-elle avec un soupir.

— Il ne possède pas encore de raison de te répudier, mais nous pouvons y remédier très facilement. Je suis ravi de pouvoir te proposer cette solution dont nous tirerons les bénéfices tous les deux.

— Quelle solution ?

Il se leva brusquement.

— La réponse est évidente, non ? répondit-il en la prenant par les épaules pour la mener vers son lit.

Clothilde comprit enfin son stratagème, mais elle n'était pas disposée à aller aussi loin pour parvenir à ses fins. Ainsi, le roi l'avait appelée pour la faire sienne, ce qui expliquait l'absence de la reine. Dans son arrogance, le souverain devait être persuadé qu'elle ne pouvait rien lui refuser.

Il avait sous-estimé sa proie. Clothilde n'avait rien d'une créature fragile. Son statut de roi ne l'impressionnait guère, malgré le respect qu'elle lui devait.

Se rappelant les paroles avisées de Jeanne, elle se garda de réagir violemment. Elle s'arrêta net. Sans la lâcher, le roi se tourna vers elle, l'interrogeant du regard.

— Je remercie Votre Majesté de sa proposition, déclara-t-elle d'un ton serein, mais je me vois obligée de refuser.

Il parut d'abord surpris, puis il éclata de rire.

— Pourquoi ? demanda-t-il.

— Je ne cherche pas à insulter Votre Majesté, qui est ma foi un homme fort séduisant. Mais j'aurais l'impression de me vendre, ce qui va à l'encontre de mes principes.

— Balivernes ! s'esclaffa-t-il. Fie-toi à mon jugement. Je te rends un fier service et tu ne souffriras point. Certes, je prends le risque de perdre un ami à Shefford, mais tu pourras trouver un autre époux qui te plaira davantage. N'est-ce pas ce que tu souhaites ?

— Oui, admit-elle. Mais pas à ce prix.

— Je t'offre la solution à ton problème. Allons, ne perdons pas de temps à de vaines explications. C'est à moi de décider, pas à toi. Voilà qui devrait soulager ta conscience.

Sur ces mots, il l'attira violemment vers le lit.

Clothilde comprit qu'il avait l'intention de la prendre sans lui demander son avis. Elle ne se débattit pas, sachant qu'une stratégie habile suffisait à désamorcer tous les conflits.

Toute résistance pousserait au contraire le roi à resserrer son étreinte. Jean n'était pas aussi grand que Tristan, mais il était trapu et assez puissant pour s'imposer par la force.

Elle se laissa donc mener vers le lit et attendit qu'il se tourne vers elle pour la faire allonger. À cet instant, elle lui assena un violent coup de pied dans le tibia de la pointe de sa bottine.

Le roi se mit à hurler de douleur, puis eut le souffle coupé quand elle le projeta sur le lit.

Elle profita de cet effet de surprise pour se dégager et quitter précipitamment la pièce. Elle dévala ensuite l'escalier et regagna sa chambre. Refermant la porte derrière elle, elle actionna le loquet de fermeture, puis tira plusieurs malles pour bloquer l'issue. Haletante, elle sentait son cœur battre à tout rompre.

Déjà endormie, Jeanne avait laissé brûler une chandelle à son intention. Clothilde prit son arc et des flèches et s'assit, tremblante, sur son lit, prête à se défendre. Le premier homme qui franchirait le seuil allait le regretter.

Elle veilla une grande partie de la nuit, tandis que sa sœur dormait paisiblement. Clothilde était en proie à un cruel dilemme. On n'attaquait pas un roi impunément. Son souffle finit par redevenir régulier, mais son angoisse ne la quitta pas un instant.

# 31

— Qui voulais-tu empêcher d'entrer, cette nuit ? Ou bien voulais-tu t'assurer que je ne parte pas sans que tu m'aies parlé, ce matin ?

En la réveillant, Jeanne s'adressa à sa sœur d'un ton badin. Elle n'avait pas encore remarqué l'arc caché sous les couvertures.

Clothilde était étonnée d'avoir pu s'endormir. Elle se rappelait s'être glissée sous les couvertures pour se réchauffer. Mais ensuite…

À présent, ses souvenirs ressurgissaient, ravivant sa terreur. Elle avait osé frapper le roi d'Angleterre après avoir repoussé ses avances. Quel était le pire affront ?

— Je dois m'en aller, annonça-t-elle à sa sœur, la mort dans l'âme.

— T'en aller ?

— Quitter Shefford.

Jeanne fronça les sourcils.

— Te serait-il arrivé quelque mésaventure dans la chambre du roi, hier soir ?

— Il va m'exécuter, mais j'ignore si ce sera en public ou dans le secret.

— Que lui as-tu donc fait ? s'enquit Jeanne, au désespoir.

Clothilde rejeta les couvertures et Jeanne put constater qu'elle avait dormi tout habillée et munie de son arc.

— Disons plutôt qu'il m'a poussée à réagir en essayant de s'imposer à moi.

— Pour l'amour du ciel, que lui as-tu fait ? répéta Jeanne plus fort, le visage livide.

— Je ne cherchais qu'à me dégager, Jeanne. Ce n'est pas parce qu'il est le roi qu'il a le droit de me posséder. Car c'est dans ce but qu'il m'a fait quérir.

— Le roi a tenté d'abuser de toi ? s'exclama Jeanne, horrifiée. Le roi Jean ?

— Je comprends ton scepticisme. Au début, je n'y croyais pas moi-même. On raconte qu'il adore sa femme.

— Était-il… sous le feu de la passion ? Ne pouvait-il se contenir ?

— Je t'en prie, ne lui cherche pas d'excuses. Je ne suis pas irrésistible au point de rendre un homme fou de désir. Il avait prévu son coup.

— Alors pourquoi ?

Cette question troublait Clothilde. Lorsque Jean avait affirmé qu'ils tireraient tous deux parti de la situation, elle avait cru qu'il faisait allusion au plaisir de la chair. Mais s'il s'agissait d'autre chose ? Qu'avait-il à gagner à empêcher l'union de deux familles ?

Elle ne voyait pas. Mais cela signifiait-il que le roi était l'instigateur des agressions dont elle avait été victime ? Elle ne se connaissait pas une telle valeur. Si un roi ne reculait devant rien pour éliminer un obstacle…

À présent, Jean avait d'autres raisons de lui en vouloir. Elle était si perdue qu'elle ne souhaitait même pas tout raconter à Jeanne.

— Il a évoqué une solution satisfaisante pour nous deux, dit-elle simplement. Tristan aurait eu une raison de me répudier une fois souillée. Le roi Jean n'approuve pas ce mariage, Jeanne. Mais il aurait pu le dire sans avoir recours à ces viles méthodes.

Jeanne réfléchit quelques instants.

— Sa bénédiction n'était pas indispensable car son frère avait déjà donné la sienne, autrefois.

— À moins qu'il n'ait l'habitude d'agir en sous-main, fit Clothilde d'une voix chargée de mépris.

— C'est certain. Il est peut-être vexé de n'avoir pas été consulté. Ainsi, il serait venu ici dans l'intention de se venger, même s'il n'y a pas offense à son encontre.

Clothilde hocha la tête. Qu'importe, le mal était fait. Le souverain avait désormais le pouvoir de la condamner à mort. Il suffisait qu'il ordonne à un serviteur de l'exécuter. Il fallait qu'elle s'en aille sur-le-champ pour échapper à son triste sort. Elle n'avait pas le choix.

— Tu lui as fait mal ? demanda Jeanne.

— Je l'ai surtout touché dans son amour-propre.

— S'il te condamne à mort, il va devoir se justifier.

— Pas s'il agit en secret. Je dois à tout prix m'éloigner d'ici au plus vite.

— Pour aller où ?

— À Clydon. J'y songeais déjà avant ce fâcheux incident, car père n'est pas encore arrivé et je commence à croire qu'il ne viendra pas. Une fois à Clydon, j'emmènerai Roland le voir et je lui raconterai tout. Il ne pourra insister pour me marier à Tristan quand il saura que le roi s'y oppose.

— Cela ne te protégera pas des foudres du roi.

— Peut-être que si, répondit Clothilde. Il oubliera tout si j'épouse un autre homme, comme il le souhaite. C'est mon dernier espoir.

— Je crois que tu devrais d'abord en parler avec lord Guy, fit Jeanne.

— Pour qu'il s'attire la colère du roi ?

— Tu penses qu'il en arriverait là ? demanda Jeanne en blêmissant.

— Je suis ici sous la protection de lord Guy. Que ferait-il s'il apprenait que le roi a tenté de violer la fiancée de son fils sous son propre toit ? Il serait fou de colère, et à juste titre.

— Le roi devait s'y attendre avant d'agir ainsi. Et s'il cherchait à pousser Guy à rompre son vœu de loyauté ?

— Non. Il s'attendait à ce que je sois flattée par ses avances. Ensuite, il lui suffisait d'affirmer que je m'étais jetée à son cou. Il aurait laissé éclater la vérité avant que Tristan ne se rende compte que je n'étais plus vierge. C'était ma parole contre celle du roi...

— Lord Guy t'aurait crue.

— Il aurait dû rompre avec le roi, ne l'oublie pas. Il faut considérer le point de vue du roi. Les fiançailles étaient rompues, Guy et père lui seraient encore loyaux et j'aurais trouvé un mari disposé à oublier cet incident. J'aurais d'ailleurs aimé que cela arrive, mais sans me donner au roi.

— Tu ne peux partir ainsi, Clothilde, sans la permission de notre hôte. Et tu ne peux obtenir son autorisation sans tout lui raconter.

— J'ai dit que j'allais partir, pas que j'allais crier la nouvelle sur les toits.

— Tu ne parviendras jamais à quitter le donjon sans être remarquée. Comment feras-tu ?

— Tu vas m'aider.

— Il existe certainement une autre solution, insista Jeanne. Confie-toi à Tristan et épouse-le dès aujourd'hui. Ainsi, les intrigues du roi tomberont à l'eau.

— Pas si l'intention du roi est de salir les deux familles afin de confisquer leurs terres. Ni s'il veut se venger de mon attitude irrespectueuse. Et...

— Assez ! Ce n'était qu'une suggestion, gémit Jeanne. Je sais très bien que tu préfères partir plutôt que d'épouser Tristan. En fait, je te soupçonne d'être secrètement ravie de cette mésaventure.

— Non, je ne me réjouis pas d'être devenue l'ennemie du roi Jean pour échapper à ce mariage. Je n'aurais jamais pensé à cela.

# 32

— Ton plan ne fonctionnera jamais, décréta Jeanne en regardant la malle dans laquelle Clothilde comptait se glisser.

— Mais si, du moment que tu ne quittes pas la malle des yeux afin que les porteurs ne soient pas tentés de voir ce qu'elle contient.

— Je pourrais affirmer qu'il s'agit d'un cadeau de mariage qui doit être tenu secret jusqu'à la cérémonie. Alors je n'aurais pas à me faire passer pour toi.

— Mais on ne cache pas un cadeau dans une étable ! Or, c'est là qu'il faut faire déposer la malle. Tu diras qu'elle recèle quelque nourriture spéciale pour Flèche. Les gens se méfient de lui et ne l'approchent jamais.

— Tu ne peux pas t'enfuir avec ton cheval, alors pourquoi te rendre dans les écuries ?

— Elles sont situées près de la grille. Il me sera facile de me fondre dans quelque groupe sur le départ. Tu l'as dit toi-même, je n'ai aucune chance de m'échapper autrement.

— Il m'est plus facile de jouer ton rôle quand il ne s'agit que d'une plaisanterie, soupira Jeanne. Je redoute de commettre un impair et de vendre la mèche.

— Tu t'en sortiras à merveille, lui assura Clothilde. Occupe-toi simplement des gardes postés devant la porte, de mon escorte et des hommes qui porteront la malle. Tu n'auras affaire à personne qui te connaisse bien.

— Jusqu'à ton départ, lui rappela Jeanne, le front plissé. Ensuite, je devrai affronter ton fiancé.

— Je t'ai expliqué comment procéder. Il nous distingue à ma moue boudeuse. Ce sera un jeu d'enfant. Il te suffira de garder tes distances et de ne pas lui parler.

— Et s'il engage la conversation… fit Jeanne, pas tout à fait convaincue.

— Ne crains rien. Je suis furieuse contre lui depuis notre dernière entrevue, et il le sait. Je ne lui ai plus adressé la parole. C'est bien naturel, après ce qu'il m'a fait.

— À savoir ? Tu ne m'as pas expliqué pourquoi tu le fusilles du regard depuis quelques jours.

Clothilde ne pouvait garder son secret plus longtemps si elle voulait que Jeanne soit crédible auprès de son fiancé.

— Tristan a failli me faire sienne, marmonna-t-elle à contrecœur.

— Failli ?

Jeanne leva les sourcils.

— Il a cherché à te violer, comme le roi ?

Clothilde rougit, troublée par le souvenir de leur étreinte.

— Non, pas exactement, admit-elle furieuse de sa propre faiblesse. Il m'avait rendue folle par ses baisers. Si lord Guy ne nous avait pas surpris, nous aurions consommé notre union avant la bénédiction du prêtre.

Jeanne en demeura bouche bée. Elle poussa un soupir.

— Si tu n'avais pas été agressée par le roi Jean, fit-elle d'un ton réprobateur, je serais en colère. Finalement, il vaut peut-être mieux pour tout le monde que tu épouses ton Roland. Espérons que tout fonctionnera comme prévu.

Clothilde sourit, heureuse d'avoir le soutien de sa sœur.

— Je suis certaine que tout ira bien. Il me faut arriver sans encombre à Clydon.

— J'aimerais avoir ton assurance, répondit Jeanne.

— Tu t'inquiètes trop. Tu as si souvent pris ma place sans jamais te faire démasquer ! C'est un rôle très facile à jouer. Tu tromperais même notre père.

— Il était toujours un peu ivre, répliqua Jeanne.

— Et alors ? Il est celui qui nous connaît le mieux, non ?

— C'est vrai, admit Jeanne.

— Nous savons toutes les deux que tu y arriveras. Ainsi, j'aurai le temps d'agir. Tout repose sur toi, Jeanne. Essaie de tenir deux jours, plus si tu le peux. J'aurai le temps de gagner Clydon puis Dunburgh. Tant que Tristan et lord Guy ignorent tout de mon départ, ils ne se lanceront pas à ma poursuite.

— Je n'ai pas le choix, déclara Jeanne avec un soupir. Dépêchons-nous. À cette heure de la matinée, le château est encore endormi.

Clothilde l'approuva, heureuse d'ôter ses vêtements de femme pour enfiler ses chères hardes, même si elle se sentait encore trop propre.

Tandis que sa sœur allait chercher deux serviteurs pour transporter la malle, Clothilde utilisa la suie de la cheminée pour maculer son visage.

Ensuite, elle se cacha dans la malle, n'emportant que quelques effets, son arc et des vêtements de rechange. À peine avait-elle refermé le couvercle qu'elle entendit des voix derrière la porte de la chambre.

Jusqu'à cet instant, elle avait tout mis au point dans le calme, envisageant toutes les possibilités. À présent, elle retenait son souffle de peur d'être découverte. Le trajet vers les écuries lui parut interminable. Les deux hommes lâchèrent la malle sans ménagements sur le sol.

La jeune fille n'était pas rassurée pour autant car elle n'était pas encore sortie de Shefford. Tant d'imprévus pouvaient encore survenir ! En outre, elle ne pouvait sortir de la malle avant que Jeanne ne lui confirme que la voie était libre.

Au lieu du signal convenu, elle entendit sa sœur déclarer :

— Trouvez-moi Henry, l'un des serviteurs qui nous a accompagnées depuis Dunburgh. Le manant est facile à reconnaître, il est repoussant de saleté. Il doit traîner dans la cour car il s'occupe de nos chevaux. J'espérais le trouver ici…

Clothilde ignorait de qui Jeanne parlait car aucun Henry ne les avait suivies à Shefford. Et elle n'aurait pas l'occasion de poser la question à sa sœur à cause des gardes postés devant les écuries.

Enfin seule, Jeanne frappa deux coups sur la malle. Puis elle se dissimula auprès de Flèche, au cas où un garde réapparaîtrait. Elle put parler pendant quelques minutes avec sa sœur.

— Tu vois, ça a été assez facile, souffla Clothilde, sans évoquer ses craintes. Tu peux regagner le donjon et emmener avec toi ces maudits gardes. Je vais surveiller les grilles.

— J'ai trouvé une bien meilleure idée. J'aurais dû y songer plus tôt.

— Laquelle ? Et qui est donc cet Henry ?

— Toi, naturellement ! fit Jeanne avec un sourire malicieux. Les gardes savent que je cherche un dénommé Henry. Ils ne seront pas surpris de te voir.

— Pour quoi faire ?

— Tu vas sortir d'ici à cheval.

— Ce serait merveilleux, mais tu sais bien que je ne puis partir avec Flèche sans éveiller les soupçons.

— Certes, mais rien ne t'empêche de prendre une autre monture. Si je voulais faire parvenir une missive à notre père, je n'enverrais pas un messager à pied.

Clothilde sourit.

— Évidemment ! Comment vas-tu faire croire aux gardes et aux serviteurs que tu viens de trouver Henry ?

— Je vais partir avec eux puis m'arrêter à l'entrée des écuries. En te dépêchant, tu pourras sortir par l'autre côté et venir à notre rencontre. Tu diras que les serviteurs t'ont chargée de me rejoindre. J'expliquerai tout aux gardes afin qu'ils ne te posent aucun problème.

Clothilde hocha la tête, approuvant cette excellente idée.

— Allons-y.

Tout se déroula à merveille. L'escorte ne posa aucune question au prétendu Henry. Très vite, Jeanne accompagna Clothilde à la grille. Les gardes se montrèrent méfiants, mais Jeanne leur exposa la mission de Henry.

— Votre père ne sera pas insulté par ce manant pouilleux ? demanda l'un d'eux.

— Mon père sait fort bien qui est Henry, répondit Jeanne. Il a grandi au château. S'il était propre, il ne le reconnaîtrait sans doute pas.

Clothilde marmonna quelques paroles inintelligibles. Amusés, les gardes la laissèrent passer.

Jeanne venait de faire gagner un temps précieux à sa sœur. À présent, il lui restait à parvenir sans encombre à destination.

# 33

Par chance, la tempête s'était calmée. Mais il régnait un froid glacial. Par endroits, les rares apparitions du soleil avaient fait fondre la neige.

Éblouie par la lumière du matin, Clothilde dut plisser les yeux pour cheminer sur la route menant à Dunburgh. Shefford n'était plus en vue. Bientôt, elle bifurqua vers le sud. Du moins, la jeune fille pensait-elle que Clydon se trouvait au sud, car elle ne s'y était jamais rendue, même si Roland avait maintes fois dit devant elle où se trouvait son château.

Naturellement, Clothilde s'était gardée de préciser à Jeanne qu'elle ne connaissait pas la situation exacte de Clydon. Après tout, il lui suffirait de demander son chemin.

Elle se réjouissait de revoir Roland, dont l'amitié sans faille lui manquait, ainsi que leurs conversations interminables. Pas une seconde, elle ne songeait que le jeune homme puisse être absent de chez lui.

Ce serait une catastrophe, car le temps était compté pour la jeune fille. Certes, elle pourrait s'entretenir avec ses parents. Roland ne tarissait pas d'éloges sur eux. Lord Raoul ne ressemblait-il pas en tous points à son fils ? Clothilde pourrait lui ouvrir son cœur, de même qu'à lady Alix. Toutefois, mieux valait s'adresser à Roland.

Depuis qu'elle avait décidé de l'épouser, elle avait souvent pensé à ce qu'elle lui dirait, mais elle n'avait jamais trouvé les mots. Ce n'était pas le rôle d'une jeune fille de demander la main d'un homme. En général, les femmes n'avaient pas leur mot à dire sur les questions matrimoniales.

Cette fois, il en serait autrement. Du moins, Clothilde le souhaitait-elle vivement. Elle n'avait pas le temps de demander à son père de tout organiser. Son autorisation ne viendrait qu'ensuite.

En tout cas, Nigel ne pouvait refuser, après la mésaventure que sa fille avait connue avec le roi. Ironie du sort, Clothilde devait une fière chandelle au souverain.

Clydon se trouvait à moins d'une journée de Shefford. C'est tout ce qu'elle savait. Clothilde quitta les bois pour s'engager vers le sud, espérant croiser quelque voyageur.

Trois hommes la suivaient depuis un certain temps. Elle ne s'en inquiétait pas, songeant à quelque patrouille l'ayant remarquée dans la forêt. Ils allaient sans doute faire demi-tour dès qu'elle aurait quitté les terres de Shefford.

Elle se sentit cependant mal à l'aise car ils gagnaient peu à peu du terrain. Ils étaient à présent à portée de voix.

Clothilde se souvint alors que, en échappant à un danger, la vengeance du roi, elle s'exposait à un autre péril, celui des brigands qui avaient cherché à l'éliminer. Et s'ils avaient surveillé les abords du château ? Comment diable avait-elle pu négliger cet aspect du problème ? Néanmoins, cela ne l'aurait pas empêchée de partir de Shefford car les représailles du roi représentaient un risque immédiat. Elle regrettait de ne pas s'être montrée plus prudente.

Plusieurs possibilités s'offraient à elle. Se lancer au galop et s'enfoncer dans les bois pour semer ses poursuivants, mais elle ne connaissait pas bien la région. Elle pouvait aussi s'arrêter pour voir s'ils continuaient leur chemin. Ce n'était pas une bonne idée non plus. Mieux valait ne pas les laisser s'approcher.

Restait la solution de la confrontation. En les menaçant de son arc, elle pourrait obtenir une explication. S'il s'agissait d'une simple patrouille, elle continuerait tranquillement sa route. Mais s'il leur venait à l'esprit que la jeune fille avait quelque chose à se reprocher ?

De toute façon, la confrontation était toujours la meilleure solution. Après tout, elle s'inquiétait peut-être pour rien. Il lui fallait maintenant mettre pied à terre pour se préparer à bander son arc, car les mouvements du cheval risquaient de lui faire manquer sa cible.

Elle laissa donc les trois hommes s'approcher puis s'arrêta. Quand elle descendit de cheval, ils firent halte à leur tour. Ses poursuivants ne s'attendaient pas à la voir les menacer avec une arme, prête à tirer.

Aussitôt, deux d'entre eux partirent au galop dans des directions opposées tandis que le troisième la chargeait de front. C'était une manœuvre destinée à la déstabiliser. La tactique était manifestement préparée d'avance. Elle ne pouvait les surveiller tous les trois.

— Cessez et vous aurez la vie sauve ! cria-t-elle à celui qui venait vers elle.

L'homme ne tenant pas compte de son avertissement, elle décocha une flèche. Ensuite, elle ne mit qu'une seconde à en sortir une autre et à se tourner vers une deuxième cible. L'homme tomba à terre.

Clothilde tira deux autres flèches. Ignorant si elle les avait gravement blessés à travers leurs épais manteaux, elle ne s'attarda pas sur les lieux. L'un était affalé sur son cheval. Les deux autres gisaient à terre. La jeune fille ne risquait plus rien dans l'immédiat.

En s'éloignant, elle s'inquiéta pour les deux victimes tombées à terre. Pourvu qu'il ne s'agisse pas d'une patrouille de Shefford. Dans ce cas, elle espérait ne pas les avoir tués. Bien qu'elle s'efforçât de se convaincre qu'elle venait d'échapper à la mort, le doute subsistait.

# 34

En dépit de ses craintes, Clothilde n'eut aucune difficulté à trouver Clydon. Le château des Fitzhugh était en effet bien plus imposant qu'elle ne le soupçonnait. Ceint d'impressionnantes courtines, il se déployait sur un immense domaine vallonné. Le comté de Shefford devait être vraiment puissant pour avoir Raoul Fitzhugh comme simple vassal. Un jour, ce comté reviendrait à Tristan...

Étrangement, les pensées de Clothilde revenaient sans cesse au jeune homme, alors que, au terme de son périlleux voyage, elle n'aurait dû se soucier que de ses retrouvailles avec son cher Roland. Tristan se réjouirait sans doute de la décision de la jeune fille. Désormais, il était lui aussi libre d'épouser la femme de son choix. Malgré la haine qu'il lui inspirait, elle lui rendait finalement service.

Tout le monde y trouverait son compte. Une fois l'affaire réglée, le roi pourrait aller importuner une autre jeune fille. D'ici quelques jours, Clothilde épouserait Roland et serait heureuse avec lui pour le reste de sa vie. Après tout, ils étaient déjà d'excellents amis. Alors pourquoi ce manque soudain d'enthousiasme à l'idée de revoir son bien-aimé ? Pourquoi cette impression d'inachevé qui la taraudait ?

Avant d'arriver à Clydon, elle se cacha dans les bois pour changer de tenue. Son bliaud bleu-vert et or soulignait l'éclat de ses yeux d'émeraude. Sans doute Jeanne le lui avait-elle choisi pour cette raison. Elle l'avait mise en garde : jamais on ne la laisserait entrer à Clydon déguisée en paysan.

Effectivement, l'élégance de Clothilde lui permit de franchir les grilles sans encombre. Les gardes la toisèrent tout de même avec étonnement car elle portait toujours son arc et ses flèches. La chance lui souriait : Roland était présent. Un garde alla le prévenir tandis qu'un autre ordonnait à une servante de conduire la jeune fille au donjon.

Clothilde était fort impressionnée par Clydon. Certes, Shefford était plus peuplé et Dunburgh plus animé. Mais Clydon était d'une propreté méticuleuse. Il y régnait une atmosphère plus calme et chaleureuse.

La cour était couverte de vastes étendues de pelouse et non de terre. Clothilde songea qu'elle pourrait très bien vivre en ces lieux.

Roland vint à sa rencontre avant qu'elle n'entre au donjon. Elle l'aurait reconnu entre tous. C'était vraiment un géant, et un fort beau garçon. Il avait les cheveux blonds de son père et ses yeux violets. Son corps à la fois robuste et mince était merveilleusement proportionné. Bien des hommes devaient envier sa prestance.

En toute honnêteté, Clothilde devait admettre que Tristan était également un bel homme, quoique un peu plus petit. Mais Roland avait un caractère enjoué, une gentillesse naturelle, dont Tristan était totalement dépourvu. Pourquoi pensait-elle encore à lui au moment de retrouver Roland ?

— Qui vous a donc maculé le visage ? s'exclama-t-il en la saluant avec effusion.

Clothilde rougit violemment. Dans sa hâte, elle avait oublié de se débarbouiller. Elle comprenait à présent la réaction médusée des gardes. Qu'importe ! Elle se moquait de son apparence.

Alors pourquoi s'empourprait-elle ainsi ? Elle le savait très bien, mais refusait de l'admettre. Tristan lui avait fait prendre conscience de son corps. Il avait une façon de la toiser chaque fois qu'il la croisait… Elle commençait même à se regarder dans une glace, ce qui ne lui était jamais arrivé.

— Il est normal que je sois un peu poussiéreuse, après ce long voyage, fit-elle un peu gênée.

— Quelle poussière ? demanda Roland. La neige a tout recouvert.

Il passa un doigt sur sa joue pour la nettoyer, geste que Jeanne effectuait depuis leur tendre enfance. Mais Clothilde l'arrêta aussitôt en se rendant compte qu'il la traitait comme une petite sœur et qu'elle venait de réagir de même.

— J'ai appliqué cette suie sur ma peau afin de venir jusqu'ici en toute sécurité, expliqua-t-elle. J'ai voyagé grimée en paysan.

— Pourquoi ? D'ailleurs, qui oserait s'attaquer à une dame seule sous escorte ? Parce que vous…

Sa voix s'éteignit. Clothilde, embarrassée, refusait de soutenir son regard.

— Si vous me dites que vous avez voyagé seule, je vais vous corriger.

Il en était incapable et ils le savaient tous deux. Cependant, le jeune homme la connaissait bien. Clothilde était venue dans l'intention de tout lui raconter. Elle n'avait aucune raison de mentir. Certes, jamais elle n'avait poussé la témérité jusqu'à voyager seule à travers bois.

— J'ai été obligée de quitter Shefford sans en avoir la permission, avoua-t-elle.

— Vous estimez sans doute que j'ai besoin de protection, la taquina Roland, mais il était inutile de venir pour m'escorter à votre mariage. Mes parents voyagent toujours sous bonne garde. Excusez-moi, je vois que vous n'êtes pas d'humeur à plaisanter.

Elle secoua la tête.

— Mais non, j'apprécie votre humour, ne vous excusez pas. Mais il m'est arrivé des choses… J'aimerais tout vous expliquer, mais je ne sais pas par où commencer. Enfin, si. Si j'ai quitté Shefford dans le plus grand secret, c'est parce que j'ai eu une altercation avec le roi Jean, qui était venu assister au mariage.

— Une altercation ? répéta Roland en fronçant les sourcils.

— Oui. Il semblerait que mon mariage avec Tristan ne l'enchante guère et il souhaitait l'empêcher en me faisant sienne. J'avoue que j'ai refusé ses avances avec véhémence. À présent, il voudra certainement se venger, surtout si j'épouse Tristan. Le seul moyen d'apaiser sa colère est d'épouser un autre homme.

— Clothilde, il ne faut pas vous sacrifier ainsi uniquement à cause du goût du roi Jean pour la bagatelle. Je comprends fort bien qu'il veuille vous compter à son tableau de chasse, mais le comte de Shefford est trop puissant pour que cet incident ait une suite. Le roi en restera là, n'ayez crainte.

— Ce n'est pas ce que vous croyez ! protesta-t-elle. Il ne cherchait pas uniquement à m'ajouter à son tableau de chasse, comme vous dites. Il voulait que Tristan me répudie. Il a affirmé que nous avions tous deux à y gagner.

— Ce prétentieux a donc une si haute opinion de lui-même qu'il pense vous rendre service en vous possédant ? railla Roland. Cette attitude ne m'étonne guère de Jean sans Terre. Ce n'est qu'un arrogant.

— Pas seulement, précisa Clothilde. Il prétendait m'aider car je lui avais avoué que je ne souhaitais pas épouser Tristan de Thorpe.

— Vous êtes folle ? fit Roland, incrédule. Comment pourriez-vous ne pas vouloir de Tristan de Thorpe ? Un jour, il sera le suzerain de mon père, puis le mien. Si sa puissance ne vous impressionne pas, sa prestance le devrait…

— Taisez-vous, je vous en prie ! Tristan, m'impressionner ? Vous ai-je laissé croire que j'avais pour ambition de devenir comtesse ?

— C'était inutile. Depuis le jour de votre naissance vous êtes promise à lord Tristan.

— Je ne l'ai pas choisi, soupira-t-elle. Nous n'en avons jamais beaucoup discuté, mais je méprise Tristan depuis mon enfance. Lors de notre première rencontre, il m'a fait beaucoup de mal. J'ai trop souffert à cause de lui. Jamais je ne l'oublierai.

Roland s'adressa à elle d'un ton apaisant :

— Je vois bien que vous souffrez en évoquant votre fiancé. N'en dites pas plus. Venez plutôt boire une coupe d'hydromel au coin du feu. Vous me raconterez pourquoi vous n'avez parlé à personne de la perfidie du roi Jean.

— Comment le savez-vous ?

— Vous êtes ici, seule, au lieu de laisser votre père ou lord Guy s'en charger.

Clothilde rougit de nouveau. Son ami la comprenait trop bien. Au moins, il n'avait pas cherché d'excuses à Tristan. Comment diable allait-elle convaincre les autres ?

## 35

Au fond d'elle-même, Jeanne sentait que ce stratagème n'allait pas fonctionner. L'enjeu la pétrifiait. Aussi fit-elle mine d'être malade en exigeant de garder Clothilde à son chevet pour la soigner. Elle pouvait ainsi empêcher quiconque d'entrer dans la chambre et protéger le lit vide des regards.

Le premier jour, la stratégie s'avéra efficace jusqu'en fin d'après-midi, quand l'homme qu'elle redoutait le plus vint frapper à la porte. Jeanne reconnut ses pas dans le couloir.

Elle se prépara donc à le rembarrer sans ménagements, comme l'aurait fait Clothilde.

— Ne vous a-t-on point informé que ma sœur était souffrante ? lança-t-elle en lui ouvrant la porte. Laissez-moi m'occuper d'elle tranquillement. Jeanne s'est enfin endormie. Cessez de faire autant de bruit !

— Je suis au courant, répondit-il froidement face à cet accueil. Rien ne vous oblige à demeurer constamment à son chevet. D'autres personnes peuvent la veiller.

— Vous savez bien que je ne fais confiance à personne en ce qui concerne ma sœur.

— De quoi souffre-t-elle ? s'enquit Tristan.

— De troubles digestifs.

Terrorisée par le regard implacable de Tristan, Jeanne eut une nausée. Si cette conversation s'éternisait, elle n'allait pas tarder à être vraiment malade.

— Pourquoi venez-vous ici ? Simplement pour nous déranger ? demanda-t-elle, espérant abréger leur entretien.

— Je veux que vous veniez souper dans la grande salle. Le roi Jean pourrait s'offusquer de votre absence. Vous avez déjà évité le déjeuner. Quel que soit l'état de santé de Jeanne, vous devez descendre ce soir.

— Je n'ai pas à distraire le roi !

— Ah non ? répliqua-t-il. Alors qu'il est venu expressément pour votre mariage ?

— Bien sûr, balbutia la jeune femme, qui oublia son rôle l'espace d'une seconde. Je viendrai lui présenter mes respects. Mais je ne m'attarderai pas, à moins que Jeanne ne se sente mieux.

C'était une concession raisonnable, mais Tristan n'en était pas satisfait.

— J'ai l'impression que vous vous servez de la maladie de votre sœur pour m'éviter. Combien de temps comptez-vous me battre froid ?

Tel était donc le véritable motif de sa visite… il se sentait négligé. Elle eut envie de lui répondre : « Pour toujours ! », comme l'aurait fait Clothilde, mais ce sarcasme n'aurait fait qu'attiser la rage de Tristan. Et elle ne pouvait le faire douter de son identité.

Elle pinça donc les lèvres, imitant Clothilde, et déclara aussi calmement que possible :

— Je suis en train de vous parler, il me semble, bien qu'à contrecœur. Rien ne m'y oblige.

Tristan n'insista pas.

— Soyez présente au souper, ordonna-t-il en prenant congé. Ainsi que demain, pour les deux repas. Et ne m'obligez pas à venir vous chercher !

Dès que la porte se fut refermée, Jeanne s'appuya contre le panneau de bois, haletante. Elle avait réussi à le tromper. C'était la dernière fois, car elle n'avait pas le courage de sa sœur. Jamais elle ne pourrait résister à la colère de cet homme. Ses paroles menaçantes résonnaient encore à son esprit. S'il ne voyait pas Clothilde à table, il allait venir la chercher.

Il fallait qu'elle fasse une apparition dès ce soir. Le lendemain, si le subterfuge était découvert, Clothilde aurait eu le temps d'agir. Jeanne pourrait redevenir elle-même, même si sa sœur était portée disparue. Celle-ci gagnerait encore une journée, le temps que les recherches soient dirigées hors du château. D'ici là, Clothilde aurait peut-être atteint Clydon avant de retourner chez elle, comme prévu.

La soirée lui suffisait amplement. Comment allait-elle se montrer avenante envers le roi après l'affront subi ? Les deux sœurs n'avaient pas envisagé une nouvelle entrevue avec le souverain.

Et s'il la dénonçait ? Non, de toute évidence, il n'avait parlé à personne de leur entrevue, sinon Tristan y aurait fait allusion. Le souverain avait dû penser qu'elle n'osait pas le revoir.

Jean serait sans doute satisfait de constater qu'elle avait peur de lui. Elle n'aurait pas à se forcer : l'idée de le côtoyer la terrorisait. Et s'il souhaitait parler de leur mésaventure ? Son sang ne fit qu'un tour. Seigneur, comment avait-elle fait pour se retrouver dans une situation aussi embarrassante ?

# 36

Clothilde avait tardé à expliquer les raisons de cette visite impromptue. Les heures s'écoulaient sans qu'elle ait trouvé le courage de demander Roland en mariage. Or, il ne fallait pas que cette journée s'achève sans qu'elle soit fixée sur son avenir. Malheureusement, depuis son arrivée, elle n'avait guère eu l'occasion de se retrouver en tête à tête avec le jeune homme.

Roland l'avait d'abord emmenée auprès de lady Alix, sa mère, qui lui avait aussitôt offert une chambre et un bain chaud. Tant et si bien que la jeune fille ne retrouva son ami qu'à l'occasion du souper.

Lady Alix surprit Clothilde par son caractère bien trempé. Contrairement à son mari, c'était une femme petite et frêle, âgée d'à peine quarante ans, avec des cheveux d'un noir de jais et des yeux de porcelaine. En outre, sa franchise légendaire confinait parfois à la brusquerie.

— Vous empestez, jeune fille ! lui avait-elle déclaré sans préambule. Allez vite prendre un bain !

Clothilde eut beau protester, rien n'y fit.

Mais elle appréciait lady Alix, qui lui parut aussi déterminée qu'elle-même. Son autorité naturelle la rendait attachante même si elle en impressionnait plus d'un.

Au cours des quelques heures qu'elle passa en sa compagnie, Clothilde en apprit beaucoup sur la famille de Roland. Son frère aîné portait le prénom de son parrain, le comte de Shefford. Il avait aussi deux jeunes sœurs. La cadette, gémit Alix, était une enfant très rebelle et pénible à élever. Elle adorait son père et cherchait à l'imiter en tout.

Clothilde fut un peu gênée par cette description qui pouvait également s'appliquer à elle-même. Si Alix trouvait cette enfant pénible, sans doute son propre père pensait-il la même chose à son sujet...

Elle ignorait aussi que la famille de Roland était apparentée aux Arcourt, famille puissante du royaume. Hugues d'Arcourt était en fait le grand-père paternel de Roland, mais pas de façon légitime, lui précisa-t-elle sans fausse pudeur.

Quant au père d'Alix, il s'agissait de Roger de Champeney, qui était parti en croisade avec lord Nigel et lord Guy, autrefois. La jeune fille avait beaucoup entendu parler de ses exploits par les récits de son père.

Nigel savait-il que Roland était le petit-fils de Roger quand il l'avait refusé comme fiancé potentiel ? Certes, Roger était aussi un vassal de Guy, mais il possédait une fortune considérable. Clothilde était persuadée que son père ignorait l'histoire d'Hugues d'Arcourt.

La famille Fitzhugh était bien plus digne de son rang. Il ne manquait à Roland que d'être l'héritier d'un comté, comme Tristan.

La jeune fille en fut soulagée. Son père ne s'opposerait pas à cette union. Elle oubliait que ses fiançailles avec Tristan étaient avant tout fondées sur l'amitié et l'honneur, et non sur une alliance politique. Son père accepterait mieux la rupture si sa fille pouvait se racheter aux yeux du roi en épousant Roland.

Pourtant, elle avait l'impression que ses hôtes s'ingé-niaient à les empêcher de se parler en tête à tête, y compris Roland lui-même. Même à table, à côté de lui, elle eut toutes les peines du monde à capter son attention.

À la fin du souper, en désespoir de cause, elle le prit par la main et l'entraîna vers une banquette installée devant une fenêtre. Quand elle poussa l'audace jusqu'à le forcer à s'asseoir, il ne résista pas.

Sans préambule, elle déclara :

— J'ai quelque chose à vous dire. Mais vous devrez m'écouter attentivement. Vos parents ne semblent pas disposés à nous laisser seuls une minute.

— Nous sommes une famille très unie, répondit-il en riant. Chaque soir, nous avons l'habitude de parler de la journée écoulée.

— Certes, mais vous avez aujourd'hui une invitée désespérée. Je n'ai que très peu de temps, Roland. Je dois partir pour Dunburgh demain à l'aube. J'espé-rais... que vous accepteriez de m'accompagner.

— Je vous escorterai avec plaisir. Il n'était pas néces-saire de...

Elle le fit taire d'un geste.

— Roland, il faudrait que vous m'épousiez.

C'était dit. Un peu brutalement, certes, mais le temps était compté. Il semblait incrédule. Pire, il dut croire qu'elle plaisantait, car il se mit à rire.

— Je ne plaisante pas, Roland ! lança-t-elle, agacée.

— Je vois bien que vous êtes sérieuse, dit-il avec un sourire. Mais même si vous n'étiez pas déjà fiancée, je ne pourrais songer à vous épouser.

Elle pensait s'être acquittée de la partie le plus déli-cate de sa mission, aussi ne s'attendait-elle pas à un refus de sa part.

— Seriez-vous promis à une autre femme ?

— Non.

— Alors pourquoi ? demanda-t-elle en fronçant les sourcils.

— Regardez ma jeune sœur, répondit-il.

Elle suivit le regard de Roland, mais ne vit que deux garçonnets d'une dizaine d'années qui jouaient par terre. Elle n'avait jamais rencontré la petite sœur de Roland.

— Où est-elle ?

— Ce garçon aux cheveux blonds et courts n'est autre qu'Eléonore. Voilà pourquoi je me suis tout de suite bien entendu avec vous, lorsque nous étions à Fulbray. Vous me rappeliez ma petite sœur. Comme vous, elle s'habille en garçon. Toutefois, elle sait avoir l'air d'une fille quand la situation l'impose. Elle ignore que nous avons une invitée. Vous remarquez que ma mère est furieuse. Quant à mon père, il semble plutôt amusé.

Clothilde rougit malgré elle. Elle aurait dû se réjouir de constater que son cas n'était pas unique. Mais Eléonore faisait plus de concessions qu'elle, qui avait toujours tout refusé en bloc.

La honte dont elle avait entaché son père valait-elle les quelques libertés qu'elle avait réussi à gagner ? songea-t-elle. Mais là n'était pas le problème. Roland n'avait pas répondu à sa question.

— Que vient faire votre sœur dans tout ceci ?

Il se pencha vers elle et lui prit tendrement la main.

— Vous ne m'écoutez pas, reprit-il. Vous me rappelez ma sœur, encore maintenant. Et l'idée de partager votre lit… je suis navré, Clothilde, n'y voyez aucune offense, mais vous me laissez… froid. De plus, je ne puis voler la fiancée de mon suzerain. N'oubliez pas qu'il sera comte de Shefford, un jour.

Peu à peu, Clothilde entrevit combien son ami avait raison. Elle ressentait la même chose pour lui. Roland n'était qu'un frère pour elle. Elle n'imaginait pas une seconde pouvoir l'embrasser comme elle avait embrassé Tristan. Pourquoi ne s'en était-elle pas rendu compte auparavant ?

Elle hocha la tête pour lui montrer qu'elle avait compris, puis poussa un soupir.

— Que faire ? Je dois encore trouver un nouveau mari...

— Vous auriez dû laisser les personnes responsables régler ce problème.

— M'en remettre à mon père ne me procurera pas un mari.

— Vous n'avez pas besoin d'un autre mari, répliqua-t-il.

— Vous oubliez que j'ai d'autres raisons de ne pas vouloir de Tristan.

— Je me rappelle très bien ce que vous m'avez raconté. Vous le détestez depuis l'enfance. Mais vous ne m'avez rien dit de vos sentiments pour l'adulte qu'il est devenu.

— Je me doutais que vous feriez appel à cet argument !

— Ne nous chamaillons pas comme frère et sœur, voulez-vous.

Elle lui tapota l'épaule. Roland lui sourit et la prit par la taille.

— Répondez-moi franchement, Clothilde. Avez-vous, ne serait-ce qu'une seconde, oublié vos rancœurs pour ne considérer que l'homme actuel ? Ne seriez-vous pas aveuglée par vos souvenirs ?

— Tristan de Thorpe n'est qu'une brute, marmonna-t-elle.

— Cela m'étonnerait beaucoup, dit Roland. Mais le plus important est de savoir s'il est brutal envers vous.

— C'est un tyran. En fait, il ne cherche qu'à me manipuler à sa guise.

— À vos yeux, tout homme qui vous donne un ordre est un tyran.

— Je vois où vous voulez en venir, dit-elle. Mais vous n'imaginez pas mon calvaire. Nous ne cessons de nous disputer. La tension entre nous est palpable.

Roland réfléchit un instant puis reprit :

— C'est étrange, mais j'ai ressenti la même chose, naguère, alors que je désirais une dame que je ne pouvais avoir. C'était une invitée de mes parents. Nous nous querellions à tout propos, mais je la désirais ardemment.

— Taisez-vous donc ! fit Clothilde en rougissant. Cela n'a rien à voir avec…

— Vous en êtes sûre ?

# 37

En était-elle sûre ?

Cette question hanta l'esprit de Clothilde dès qu'elle se retira pour la nuit. Naturellement, elle avait répondu à Roland par l'affirmative, mais elle commençait à douter, surtout en ce qui concernait Tristan. Après tout, il était facile pour un homme d'aimer une femme tout en en désirant une autre.

Tristan avait beau s'en vouloir de s'embraser pour elle, il avait accepté l'idée de l'épouser. D'où leurs nombreuses querelles.

Jeanne lui avait assuré que le meilleur moyen de rendre sa vie plus facile était de satisfaire Tristan physiquement. Mais qu'en était-il de son bonheur à elle ?

Qu'importe. Quand elle aurait tout raconté à son père, celui-ci lui permettrait d'épouser un autre homme pour satisfaire le souhait du roi Jean. Ce ne serait pas Roland, mais elle pouvait au moins se réjouir d'échapper aux griffes de Tristan.

Pourquoi cette perspective ne la rassurait-elle pas ?

Désireuse de se changer les idées, Clothilde entendit avec plaisir quelqu'un frapper discrètement à sa porte. Lady Alix entra et vint s'asseoir à son chevet, la mine soucieuse.

— J'avais peur de vous réveiller, dit-elle. Je comprends que vous ne dormiez pas malgré l'heure tardive.

— Ah oui ? Pourtant, j'ai très peu dormi, la nuit dernière. Pourquoi dites-vous cela ?

— Roland est venu me trouver.

— Ah…

— Mon fils craint de vous avoir déçue. Est-ce le cas ?

— Vous a-t-il expliqué pourquoi ?

Alix hocha la tête.

— Votre proposition l'a laissé sans voix. Il n'est pas certain que vous ayez compris les raisons de son refus.

— Mais si et je l'approuve. Je ne songeais qu'à notre amitié. Je trouvais agréable de vivre avec une personne avec qui l'on s'entend aussi bien, sans songer aux aspects plus intimes du mariage. À présent, je sais qu'il a raison et je suis de son avis. Je le considère comme un frère. Jamais nous ne pourrions partager le même lit.

— Vous n'avez pas répondu à ma question, remarqua Alix.

Clothilde fronça les sourcils, se demandant à quoi elle faisait allusion.

— Mais si. Je ne lui en veux pas. Si je n'avais pas assez réfléchi, il n'y est pour rien.

— Vous avez omis un autre détail. Roland n'aurait pu vous épouser sans l'accord de Raoul. Or, mon mari aurait refusé. Ce serait une insulte pour notre suzerain de nous allier aux Crispin à travers vous. Avez-vous songé aux conséquences politiques d'une telle union ?

— Mon père a bien essayé de m'en parler, avoua la jeune fille en rougissant, mais j'étais trop désemparée pour en tenir compte.

— Vous devez être soucieuse.

— Ce n'est pas à cause de Roland. Expliquez-le-lui. Sinon, je le ferai moi-même dès demain.

— Puis-je vous aider de quelque façon ? demanda Alix.

Roland ne lui avait donc pas tout dit.

— Mon problème, c'est que je n'ai jamais voulu épouser Tristan de Thorpe. Je sais que le roi Jean désapprouve lui aussi cette union. Je me demande à qui mon père va me marier.

— Qu'est-ce qui vous fait croire que le roi s'oppose à ce mariage ?

— Il me l'a dit.

Alix sourit et secoua la tête.

— Je me suis mal exprimée. Qu'est-ce qui vous fait croire que l'opinion du roi entre en ligne de compte ? Le roi Richard a béni vos fiançailles. Le fait que Jean vous l'ait dit à vous et non à lord Guy signifie qu'il n'a aucune intention d'intervenir directement. En fait, il n'osera jamais contrarier un vassal aussi loyal que lord Guy alors que tant de barons se sont dressés contre lui.

Clothilde comprit que le roi ne divulguerait rien de leur mésaventure et qu'il lui ferait porter le chapeau si l'incident éclatait au grand jour. Elle hésitait cependant à se confier à Alix. Il ne fallait prendre aucun risque en ébruitant l'affaire.

— Vous avez sans doute raison, admit-elle.

— À présent, voyons ce qui vous tourmente encore, dit Alix avec un sourire.

— Comment ?

— Je ne voudrais pas me montrer indiscrète, mais je m'étonne que vous n'ayez jamais voulu épouser Tristan de Thorpe. Je le connais depuis sa naissance. Grâce à l'exemple de son père, il est devenu un homme de qualité. Mon mari, qui a guerroyé à ses côtés, ne tarit pas d'éloges sur son courage et sa dignité. Les femmes le trouvent séduisant. Ma fille aînée éprouve un tendre sentiment à son égard. Que pourriez-vous lui reprocher ?

Clothilde déplorait la réaction de son entourage. Plutôt que d'évoquer les rancœurs auxquelles son hôtesse trouverait des excuses, elle invoqua une autre raison :

— Il aime une autre femme.

— Ah, fit Alix comme si elle comprenait parfaitement le désarroi de la jeune fille. C'est regrettable, mais il s'agit peut-être d'une passade. Dans ce cas, vous n'aurez aucun mal à vous imposer.

— Comment ?

— En lui donnant une raison de vous aimer, répondit Alix en riant. Ensuite, en lui donnant une raison de vous aimer encore davantage.

— Vous parlez comme Jeanne, ma sœur, dit Clothilde. Elle partage votre avis.

— Simple logique féminine.

C'était facile à dire pour une femme qui n'était pas impliquée. Quant à surmonter son aversion, c'était une autre histoire, surtout lorsque les deux fiancés étaient dans le même état d'esprit.

— Je ne devrais pas avoir à lutter pour gagner l'amour de mon mari, déclara Clothilde un peu durement.

— En effet. Mais la plupart des femmes en sont réduites à se battre. Je suis sidérée par le nombre d'épouses indifférentes qui n'attendent aucun amour d'une union fondée sur une alliance politique. En ne s'impliquant pas, elles n'ont aucune raison d'être déçues. Mais elles ne connaissent jamais l'amour. Et pourtant, si vous saviez…

— Alors Alix, vous trahissez nos secrets ?

La dame rougit en se tournant vers la porte de la chambre. Son mari se tenait sur le seuil.

— J'arrive tout de suite, balbutia-t-elle en se levant.

— Vraiment ? J'en doute.

Alix afficha une expression méprisante. Clothilde s'inquiéta, pensant que son époux était fâché par sa faute.

— Je ne me mêle pas de ses affaires, reprit Alix.

— C'est vrai, confirma la jeune fille.

— Et je ne la dérangeais pas, ajouta Alix.

— Au contraire, lady Alix m'est d'un grand réconfort, renchérit Clothilde.

— N'ayez crainte, mon enfant, déclara Alix en lui souriant. Il n'est pas fâché. D'ailleurs, cela me serait bien égal.

Elle décocha à Raoul un regard menaçant. Le géant s'esclaffa, connaissant la chanson.

À cet instant, Roland entra à son tour dans la chambre, exaspéré :

— Je ne pensais pas que vous empêcheriez Clothilde de dormir, mère !

Alix leva les mains au ciel.

— Très bien, je vais me coucher !

Puis elle quitta la chambre sans un mot.

— Je vais m'assurer qu'elle ne se perd pas en route, déclara Raoul. Ne tarde pas trop, Roland. Il faut dormir un peu.

Il s'éclipsa à son tour.

Après le départ de ses parents, Roland se surprit à rougir, de même que Clothilde. Peut-être était-ce à l'idée de se retrouver seuls dans une chambre ? Le jeune homme vint s'asseoir au chevet de son amie.

— Je suis désolé, lui dit-il en lui prenant les mains. Je voulais seulement que ma mère vous réconforte un peu. Elle s'y entend à merveille. Je ne pensais pas qu'elle se montrerait aussi bavarde.

— Ne vous excusez pas, Roland. Je ne dormais pas, de toute façon.

— Vous êtes toujours inquiète ?

Clothilde détourna la conversation.

— Personne ne dort jamais dans ce château ? s'enquit-elle.

— Ma mère et moi nous croisons souvent dans les cuisines, au petit matin. Nous bavardons tranquillement jusqu'à ce que mon père se réveille et se rende compte de son absence. Alors il descend la chercher, comme il l'a fait ce soir.

— Et pourquoi ne dormez-vous pas ?

— Il se trouve que j'ai toujours faim, la nuit.

La jeune fille ne put s'empêcher de rire.

— Je dois reconnaître que votre corps de géant est bien nourri !

Soudain, elle se tut, percevant un bruit près de la porte restée ouverte.

Tristan apparut sur le seuil, arme au poing, le regard rivé sur Roland.

— Je suis au regret, mais je vais devoir vous tuer, déclara-t-il.

# 38

Clothilde blêmit. Non à cause de l'arrivée soudaine de Tristan, ni parce qu'il venait de menacer son meilleur ami de mort, mais parce que seule Jeanne pouvait lui avoir révélé sa présence à Clydon.

— Qu'avez-vous infligé à ma pauvre sœur pour l'obliger à avouer ? Jamais elle ne vous aurait révélé ma cachette de son plein gré ! lui lança-t-elle.

Tristan la foudroya du regard.

— Jeanne ne m'a rien dit. En fait, il a suffi que je lui pose simplement la question pour qu'elle s'évanouisse à mes pieds.

— Simplement ? répéta la jeune fille. N'étiez-vous pas menaçant, fou de rage ?

— Certes.

Clothilde poussa un soupir. Il n'avait pas torturé Jeanne, mais sa sœur avait eu une peur bleue.

— Alors comment avez-vous deviné puisqu'elle ne vous a rien appris ?

— Sans le vouloir, elle a parlé à mon frère, il y a quelque temps, en évoquant l'objet de votre amour. Bertrand m'a relaté cette conversation. J'ai vite compris qui était ce doux géant auquel Jeanne avait fait allusion.

Tristan se tourna vers Roland, qui souriait. Il fallait être stupide ou inconscient pour s'amuser d'une telle situation. À moins qu'il ne prenne pas les menaces de Tristan au sérieux. Après tout, les deux hommes s'exprimaient calmement, malgré la colère manifeste de Tristan.

Quelle était donc la raison de cette colère ? L'évasion de Clothilde ? Ou sa présence chez Roland ?

— Vous n'aurez pas à le tuer, déclara-t-elle. Je sais à présent que je n'éprouve pour lui qu'une amitié fraternelle. D'ailleurs, il refuse de m'épouser pour cette même raison.

— Vous me prenez pour un imbécile ? répliqua Tristan. J'ai pourtant la preuve flagrante de votre amour sous les yeux.

— Quelle preuve ? railla-t-elle. Vous allez bien vite en besogne ! Il y a une minute encore, lord Raoul et lady Alix étaient également à mon chevet. Roland est venu chercher sa mère qu'il soupçonnait de m'empêcher de dormir. Nous bavardions toutes les deux. Vous n'aurez qu'à vérifier mes dires avant de brandir à nouveau votre glaive.

— Clothilde, pourquoi le provoquez-vous ainsi ? intervint Roland.

— Je ne le provoque pas !

— Mais si ! insista Roland, avant de s'adresser à Tristan. Mon seigneur, elle n'a pas menti. Même si elle ne vous était pas promise, je ne l'épouserais pas. J'aurais l'impression de vivre avec ma propre sœur.

Le jeune homme cherchait à apaiser la tension qui régnait dans la pièce. En vain. Tristan affichait toujours un air implacable. Il posa un regard noir sur la jeune fille.

— Dans ce cas, vous avez menti en affirmant que vous l'aimiez.

Clothilde lui en voulut d'aborder ce sujet délicat en présence de Roland.

— Disons que je n'étais pas amoureuse de lui, avoua-t-elle. Mais je croyais pouvoir le devenir au fil du temps. Je n'avais pas réfléchi sur mes véritables sentiments pour lui. En tout cas, nous n'éprouvons aucun désir l'un pour l'autre. Je ne saurais être plus claire.

— Vous recommencez, Clothilde ! gronda Roland.

— Quoi ? fit-elle d'un ton cassant.

— À provoquer lord Tristan. Il suffisait de vous expliquer calmement.

— Allez plutôt vous coucher, Roland. Vous ne m'êtes d'aucun secours.

— C'est impossible, soupira-t-il.

Elle comprit que, sans pouvoir le dire, il n'osait pas la laisser seule en compagnie de Tristan. Pour l'heure, la jeune fille avait surtout peur pour son ami, car Tristan n'avait pas rengainé son glaive.

Son fiancé comprit les réticences du jeune homme et rangea son arme en disant :

— Je me réjouis de ne pas avoir à vous tuer. Vous pouvez disposer.

Voyant que Roland hésitait encore, il ajouta :

— Clothilde m'appartient depuis le jour de nos fiançailles. Et vous n'avez aucun droit de vous mêler de mes affaires.

Les deux hommes se toisèrent longuement, puis Roland hocha la tête et prit congé.

Clothilde savait que Roland ne l'aurait jamais abandonnée s'il redoutait quelque danger pour elle. Elle-même avait encore des doutes. En fait, elle se sentit soudain très nerveuse, surtout lorsqu'elle vit Tristan refermer la porte de la chambre à double tour.

— Que faites-vous ? demanda-t-elle d'une voix rauque, le feu aux joues.

Il ne répondit pas, mais s'approcha du lit et baissa les yeux vers elle.

— Bon. Nous en parlerons demain matin... bredouilla-t-elle, mais il l'interrompit :

— Il n'y a rien à discuter.

Clothilde voulut se lever.

— Ne bougez pas ! ordonna-t-il.

La jeune fille commençait à céder à la panique. Elle s'attendait au pire. Peut-être ne survivrait-elle pas à cette épreuve. Elle le vit ôter lentement sa cape, sans la quitter des yeux.

— Non, ne faites pas cela, Tristan...

— Vous pensiez vraiment pouvoir épouser Roland Fitzhugh en toute impunité ?

— Si mon père avait approuvé cette union, vous n'auriez eu aucun recours.

— Vous croyez pouvoir m'empêcher de le tuer ?

Clothilde commençait à comprendre. Tristan la considérait déjà comme sienne, même s'il ne la voulait pas vraiment. Jamais elle ne pourrait épouser un autre homme que lui, car ce serait aux yeux de Tristan une trahison. Il était d'une possessivité maladive et absurde. La jeune fille ignorait si elle devait en rire ou en pleurer. Elle était perdue d'avance. Jamais elle ne pourrait s'échapper de ce piège.

Mais elle oubliait l'entrevue avec Jean sans Terre. Un roi avait le pouvoir d'infléchir les plus puissants. Et Tristan ignorait l'opposition du souverain à leur mariage. D'ailleurs, il devrait s'en réjouir. S'il rompait, il ne la considérerait plus comme sienne et ne serait plus soucieux de sauver la face.

— Vous ignorez encore la raison de ma fuite, déclara-t-elle. C'est un élément qui change tout.

Son ceinturon tomba à terre, sur la cape.

— Écoutez-moi, je vous en prie !

— Nos fiançailles sont-elles rompues ?

— Non, mais...

— Alors rien n'a changé.

— Si ! Je vous l'assure ! Le roi est impliqué. Il s'oppose à notre union. C'est le prétexte dont vous aviez besoin pour rompre. Il nous suffit d'en informer nos parents.

— Je ne vous crois pas. Et même dans le cas contraire, cela ne ferait aucune différence, car Jean n'a rien dit à personne. Il a même donné son accord publiquement.

— Je vous dis la vérité !

— Alors je vais vous expliquer pourquoi cela n'a aucune importance. La volonté de Jean ne peut prévaloir que s'il l'exprime. Or, il n'a rien déclaré de la sorte. À présent, je vais vous montrer à qui vous appartenez. Nous sommes liés par contrat. Et je compte bien sceller cette union.

Il la rejoignit dans le lit.

Elle était étonnée qu'il n'ait pas saisi cette occasion de rompre les fiançailles. Sans doute était-il aveuglé par la rage.

— Non ! Ne faites pas cela ! Je ne chercherai plus à m'échapper ! Je jure de vous épouser ! Mais ne me prenez pas de force, sous le coup de la colère !

Clothilde avait les larmes aux yeux. En la voyant pleurer, il s'arrêta. Puis il l'embrassa avec fougue. Étouffant un juron, il quitta la chambre.

Soulagée, Clothilde s'écroula. Sa propre colère ne monta que bien plus tard.

# 39

À son réveil, Clothilde se rendit compte qu'elle avait dormi une bonne partie de la matinée. Sa fatigue n'avait rien d'étonnant. Après le départ de Tristan, elle avait eu toutes les peines du monde à trouver le sommeil. Personne n'était venu la réveiller, pas même Tristan. Peut-être n'avait-il pas l'intention de regagner Shefford dans la journée comme elle le pensait.

À moins qu'il soit encore endormi, épuisé par son voyage. En tout cas, elle avait beaucoup de choses à lui dire et ne redoutait plus sa réaction.

Clothilde ne se remettait toujours pas du comportement déconcertant du jeune homme. La veille, elle en était arrivée à la conclusion qu'il n'avait pas vraiment voulu la posséder, mais qu'il cherchait simplement à l'effrayer pour obtenir son consentement.

Qu'importe ! À présent, épouser un autre homme que Tristan équivalait à signer l'arrêt de mort d'un malheureux. Elle ne pouvait prendre un tel risque. Tant qu'il la considérait comme sienne, elle devait rester avec l'héritier de Shefford.

Elle s'habilla rapidement, troquant le bliaud de Jeanne contre ses propres vêtements. Tristan n'avait pas à savoir qu'elle avait apporté une tenue correcte, même si cette petite satisfaction personnelle ne la consolait guère.

Clothilde entra dans la grande salle de Clydon, la mine renfrognée. Le dîner était terminé. Tristan se tenait près de la cheminée en compagnie de lord Raoul.

— Cessez de faire cette tête, lui lança-t-il. Si vous croyez que je vais supporter vos humeurs après ce que vous avez fait, vous vous trompez.

Ignorant cette menace, elle rétorqua :

— Après ce que j'ai fait ? Et que dire de vous, mon seigneur ?

— J'aurais pu aller plus loin, et vous le savez. D'ailleurs, nous pouvons y remédier sans tarder si vous insistez.

Elle ouvrit la bouche, mais se ravisa en comprenant qu'il faisait allusion à une possession charnelle. Il en était bien capable. Affolée, elle se dirigea vers la table pour saisir une coupe de vin qu'elle but avidement.

Elle entendit le père de Roland s'esclaffer. Dans sa colère, elle avait oublié la présence de son hôte. Elle rougit de s'être emportée en public.

En se retournant, elle vit que Raoul avait disparu. Les bras croisés, Tristan la dévisageait. Elle releva fièrement le menton, serrant les dents. Comment pouvait-elle gagner face à ce tyran ?

Mieux valait se tenir à distance le temps qu'ils se calment tous deux. Mais elle voulait savoir ce qu'il avait l'intention de faire à propos des machinations du roi Jean, car elle allait devoir retourner à Shefford où elle endurerait la présence du souverain.

Elle se dirigea donc vers lui, s'efforçant d'afficher un air aimable.

— Comptez-vous raconter à votre père les agissements du roi ? demanda-t-elle sans préambule.

— Et qu'a-t-il fait, au juste, à part vous donner l'impression qu'il s'opposait à cette union ?

— Ce fut plus qu'une impression. En réalité, il voulait vous offrir une bonne raison de me répudier.

Tristan fronça les sourcils.

— Le seul moyen était de vous...

— Exactement.

Sidérée, elle le vit rougir violemment.

— Vous ne voulez pas dire que Jean Plantagenêt vous a violée ?

— Non, pas du tout ! s'empressa-t-elle de répondre. Cela ne signifie pas qu'il ne l'aurait pas fait avec plaisir, mais il n'aurait pas considéré son acte comme un viol. Selon lui, j'aurais même dû être flattée de ses attentions. Il a prétendu que nous avions tous deux à y gagner.

— De quel bénéfice parlait-il donc ?

Tristan était de nouveau en proie à la colère, mais la jeune fille ignorait pour quelle raison précise.

— Il ne m'a pas donné d'explications. J'ai d'abord songé à son plaisir sensuel, mais j'ai vite compris qu'il y avait autre chose. Quant à moi, je lui avais avoué que je ne vous aimais pas. Il savait ainsi que je ne regretterais pas d'être répudiée. Il était ravi.

— Vous avez refusé ses avances ?

— Naturellement ! s'exclama-t-elle, indignée. Mais il n'a rien voulu entendre. Alors j'ai dû me dégager de cette situation embarrassante par mes propres moyens. J'ai eu très peur qu'il ne se venge de cet affront. Voilà pourquoi je suis partie. Mais ce n'était pas la seule raison, je l'admets.

Le jeune homme étouffa un juron, mais reprit :

— Cet incident s'est produit le jour de son arrivée ?

— Le soir même, précisa-t-elle. L'un de ses serviteurs est venu me chercher. Le roi était seul dans sa chambre. Il n'a pas perdu de temps. Comme il voulait me forcer, je lui ai donné un coup de pied. Je me suis ensuite barricadée dans ma chambre. Jeanne m'a aidée à m'enfuir dès le lendemain matin.

212

— Le roi Jean était d'une humeur charmante, pourtant. Il n'a pas prononcé un mot sur votre absence.

— Mon absence ? Jeanne n'a donc pas... enfin, qu'importe !

— Comment ?

Tristan prit un air entendu.

— Vous voulez savoir si elle a joué votre rôle, n'est-ce pas ? Vous me croyez donc incapable de faire la différence entre votre sœur et vous ?

Prise au piège, Clothilde serra les dents.

— Vous ne pouvez être gagnant chaque fois, répliqua-t-elle.

— C'est pourquoi je préfère vous prévenir. N'essayez plus jamais de me posséder ainsi, sinon, je bannirai votre sœur de Shefford. J'ai plusieurs fois été dupe. Mais j'ai remarqué chez elle une nervosité qui ne vous était pas coutumière. Alors j'ai compris votre stratagème.

Pas étonnant qu'il l'ait débusquée, songea la jeune fille. Quant à l'humeur joyeuse du roi, celui-ci devait croire que Clothilde redoutait de l'affronter et de raconter à quiconque leur entrevue houleuse.

Elle fit part de ce sentiment à son fiancé en ajoutant :

— Si je l'avais accusé, il aurait nié. Il aurait retourné la situation contre moi. Allez-vous en parler à votre père ?

Tristan réfléchit un instant.

— Un jour, peut-être, si cela se révèle utile. Pour l'heure, je n'en vois pas la nécessité. Tant que le roi continue à affirmer qu'il approuve notre union...

— Savez-vous pourquoi il s'y oppose ? Outre sa haine pour son frère qui avait donné sa bénédiction ?

— Bien sûr. Jusqu'à récemment, j'ignorais à quel point votre père était riche. L'alliance de nos deux familles représente un véritable danger pour la Couronne.

— Mon père ne ferait rien contre lui. Du moins, je ne le crois pas.

— Le mien non plus, sauf si on le provoquait. Imaginez l'armée que nos familles unies pourraient réunir. Si le roi était soutenu par tous ses barons, cela n'aurait guère d'importance. Mais Jean sans Terre est isolé. Il redoute que ses ennemis ne s'allient à Shefford.

— Le problème semble sérieux, à vous entendre.

— Vous croyez qu'il irait jusqu'à vous faire tuer pour écarter ce risque ? demanda Tristan.

Elle hocha la tête.

— Il m'a affirmé qu'il me rendrait un grand service. J'ai cru qu'il faisait allusion à l'honneur d'être séduite par lui. Mais il voulait peut-être suggérer que, en me faisant répudier, j'échappais à la mort.

— Peut-être, admit Tristan, pensif. Mais il ne faut pas oublier que notre mariage est avant tout une affaire d'amitié entre deux vaillants guerriers, et non d'intérêts politiques. Nos pères risquent fort de constituer une armée puissante s'ils apprennent les manigances du roi. Le roi ne peut prendre un tel risque.

— C'est pourtant ce qu'il a fait en tentant de me séduire.

— Vous l'avez dit vous-même, répondit le jeune homme en riant. Il vous aurait accusée. Alors, je vous aurais répudiée... avez-vous vraiment donné un coup de pied au roi d'Angleterre ?

Elle rougit et hocha la tête, ce qui amusa Tristan.

— Il serait préférable de renouveler nos vœux d'allégeance après le mariage, histoire de le rassurer. Du moins s'il est encore là.

— Pourquoi ne le serait-il pas ?

— Si vous dites vrai, il aura peut-être envie de se retirer avant la cérémonie. Il n'aura aucun mal à trouver une excuse pour quitter Shefford avant l'heure.

La jeune femme l'espérait, car elle n'avait aucune envie de revoir Jean sans Terre.

# 40

Avant de partir pour Shefford, Clothilde apprit que Tristan s'était levé de bon matin pour s'entretenir avec ses hôtes. Le couple décida de partir un jour plus tôt que prévu pour accompagner les jeunes gens.

Tristan se réjouit d'avoir une escorte pour le trajet de retour, car il s'était lancé seul à la recherche de Clothilde. La jeune fille supposait qu'il avait agi ainsi pour ne pas révéler son escapade au grand jour. Il n'était guère flatteur pour lui que sa fiancée préfère risquer sa vie plutôt que de l'épouser.

Elle voulut lui demander discrètement si tout s'était bien passé, au château, après son départ, car elle s'inquiétait encore à propos des trois hommes qui l'avaient suivie. S'il s'agissait d'une patrouille de Shefford, elle espérait obtenir des nouvelles rassurantes de leur santé.

Tristan se contenta de lui répondre froidement :

— Il ne s'est rien passé qui puisse vous concerner.

Elle n'en sut donc pas davantage.

Roland était tout sourire et ne semblait guère redouter de retrouver la jeune fille victime de mauvais traitements de la part de Tristan. Visiblement, il avait confiance en son suzerain.

Clothilde n'avait nulle envie de faire part de sa désillusion à Roland, préférant ne pas l'impliquer une nouvelle fois dans ses problèmes afin de ne pas lui attirer de nouveaux ennuis.

Au moment du départ, lady Alix apparut avec ses deux filles. La cadette était vêtue comme une fillette respectable. Un regard d'Alix suffit à envoyer Clothilde se changer rapidement et enfiler son unique bliaud. Si sa propre mère avait vécu, peut-être aurait-elle été une enfant aussi docile qu'Eléonore. Aurait-elle accepté ses fiançailles avec Tristan avec la même résignation ?

De toute façon, elle allait l'épouser, qu'elle le veuille ou non. Loin d'être anéantie par cette perspective, elle ne ressentait que de la colère face à l'attitude de Tristan.

En la voyant revenir en bliaud, celui-ci leva les sourcils. Clothilde n'en revenait pas. Elle avait obéi à un simple regard. Mais il en serait ainsi pour le reste de la nuit. À moins qu'elle ne suive les conseils avisés de Jeanne et n'obtienne quelques libertés.

Le trajet de retour fut long à cause de l'escorte et des bagages. Ils n'arrivèrent à destination qu'à la tombée de la nuit. Clothilde s'en réjouit, car la plupart des habitants du château ignoraient qu'elle était partie. Elle parvint à se faufiler discrètement jusqu'à sa chambre, profitant de la confusion provoquée par l'arrivée des Fitzhugh.

Jeanne ne tarda pas à accourir à sa rencontre, le visage blême, les traits tirés.

— Comment Tristan t'a-t-il retrouvée aussi vite ? s'enquit-elle. Je suis désolée. Quand il a découvert la supercherie, il s'est mis à hurler de rage. Il voulait savoir où tu te cachais. Terrorisée, je me suis écroulée à ses pieds. Il était furieux. Mais je n'ai rien dit. Du moins, je ne le pense pas...

Clothilde embrassa sa sœur.

— Je sais, assura-t-elle. C'est ma faute. J'ai vendu la mèche sans le vouloir.

— Comment ?

— La semaine dernière, j'ai fait semblant d'être toi et j'ai rencontré Bertrand, son frère. Il voulait savoir de qui j'étais éprise. Sans prononcer le nom de Roland, j'ai dit qu'il était un doux géant, et que je ne savais rien de plus. Tristan connaît les Fitzhugh, ce sont ses vassaux. Il a vite fait le rapprochement. Combien de personnes sont au courant de ma fuite ?

— Très peu. La plupart croient que je suis malade et que tu me soignes. Ensuite, j'ai affirmé que tu avais attrapé ma maladie pour expliquer ton absence d'aujourd'hui. Les gens penseront que tu vas mieux. Je t'ai à peine reconnue sous cette cape.

— Tristan préfère ne pas ébruiter la nouvelle de mon escapade, expliqua Clothilde. Tu as eu une bonne idée en prétendant que j'étais malade.

— Je vois que Roland t'accompagne. As-tu eu le temps de le demander en mariage ?

Avec un soupir, Clothilde lui relata ses déboires.

— Si seulement j'avais vu clair dans mes sentiments pour lui, conclut-elle. Je serais simplement allée voir père et… enfin, c'est trop tard. Tristan ne compte laisser personne d'autre m'épouser à part lui.

— Il te l'a affirmé ? s'exclama Jeanne, les yeux écarquillés.

— Il a même menacé de tuer son rival.

— Ma foi, c'est très… romantique.

— Tu veux dire qu'il est fou, répliqua Clothilde.

— Non. Cela prouve qu'il te désire, à présent. Comme c'est charmant !

— Mon Dieu, Jeanne, pourquoi faut-il toujours que tu cherches des qualités chez les gens qui en sont dépourvus ?

— C'est très bon signe, insista sa sœur. Il te désire.

— Il est possessif, rien de plus. Cela n'a rien à voir avec un quelconque sentiment.

— Bien sûr, tant que tu te voileras la face.

— Pourquoi nous chamaillons-nous ?

Jeanne s'assit sur le lit avec un soupir.

— C'est mieux que de pleurer, répondit-elle, lasse.

— Inutile de pleurer. Je ne vais pas me taper la tête contre les murs. Je n'ai plus une seule chance, alors je vais l'épouser. Mais jamais il ne me dominera. Je vais me battre Jeanne, et tout ira bien.

— Tu as donc changé d'avis ?

— J'avais d'autres espoirs. À présent, je bataillerai pour que Tristan m'accepte telle que je suis.

— Je ne pensais pas que tu céderais avec tant de grâce, fit Jeanne avec un sourire.

Taquine, Clothilde bouscula sa sœur.

— Qui a parlé de grâce ?

# 41

Le lendemain matin, Clothilde ne fut guère étonnée de découvrir le roi Jean attablé dans la grande salle, mais elle ressentit une cruelle déception. Jeanne avait été obligée de s'entretenir avec le souverain et il avait paru fort amusé par son angoisse évidente.

Clothilde n'avait plus peur de lui. Apparemment, le roi n'avait aucune intention de donner une suite à leur mésaventure. Elle aurait dû s'en rendre compte tout de suite. Cependant, Jeanne ne s'était pas retrouvée seule avec le roi, elle ne pouvait donc pas être certaine de son état d'esprit.

Le souverain accueillit l'entrée de Clothilde avec indifférence. Il n'interrompit pas sa conversation avec lord Guy et plusieurs autres seigneurs attablés avec lui. Tous riaient et devisaient gaiement.

La jeune fille n'avait pas faim. De toute façon, elle n'aurait pas approché la table. Elle espérait secrètement que le roi ne lui adresserait pas la parole, ne serait-ce que pour leur épargner une gêne fort compréhensible. Mieux valait rester à distance pour éviter tout désagrément. Aussi se dirigea-t-elle droit vers les écuries pour aller voir Flèche, sans remarquer la personne qui lui emboîtait discrètement le pas.

Le temps était froid et sec. Les dernières plaques de neige avaient fondu au soleil d'hiver. Lady Anne se lamentait, disant que les intempéries allaient empêcher nombre d'invités de venir à Shefford.

Pourtant, Clothilde n'aurait pas la chance de voir la cérémonie retardée pour autant. Soudain, elle perçut le bruit de deux glaives s'entrechoquant dans la cour, comme chaque jour lors de l'entraînement des hommes. En reconnaissant la silhouette familière de Tristan, elle ralentit le pas.

Entouré d'une foule enthousiaste face à la qualité de son style, il se battait contre son frère. Tristan, qui méritait la victoire, se mouvait avec grâce et adresse.

Fascinée par les prouesses de Tristan, Clothilde ne ressentait pas le froid.

La jeune fille devait l'admettre, son fiancé était un homme superbe. Elle l'admirait à présent pour ses qualités de guerrier, qui égalaient celles de Roland.

Un sourire aux lèvres, elle entra dans l'écurie. Une fois mariée, elle aurait au moins le plaisir de contempler de beaux combats, à moins que son époux ne lui interdise ce divertissement.

— Fille de Crispin, quel est ton prénom ?

Clothilde se mordit les lèvres. Tout à son cheval, elle n'avait pas remarqué l'arrivée du roi Jean. Elle n'en fut pas vraiment étonnée. Le voyant seul, elle devina sans peine la raison de sa venue. Le souverain voulait savoir si elle avait raconté leur entrevue à quelqu'un. Il fallait qu'elle le persuade que non.

— Je me nomme Clothilde, sire.

Elle accusa le coup sans broncher. Le roi connaissait fort bien son prénom, il cherchait simplement à l'humilier.

— Je ne pensais pas trouver une jeune fille en ces lieux nauséabonds. Ce n'est guère la place d'une femme, commenta-t-il avec mépris.

Que cherchait-il donc à provoquer en elle par son attitude odieuse ? Il avait cependant raison sur un point. Les écuries empestaient.

— Je crains que personne n'ose s'approcher de mon cheval, expliqua-t-elle avec un soupir. Je suis obligée de m'en occuper moi-même.

Le roi parut remarquer enfin la présence de l'énorme étalon. Il n'avait pas quitté la jeune fille des yeux, guettant ses réactions.

— Vous êtes folle ! Cet animal est monstrueux ! commenta-t-il en découvrant Flèche.

Elle parvint à ne pas s'esclaffer.

— Il m'appartient et m'obéit au doigt et à l'œil. Cela dit, je ne conseille à personne d'autre de s'approcher de lui.

Le roi plissa les yeux, comme si elle venait de le menacer à demi-mot.

— On peut en dire autant de n'importe quel destrier ! déclara-t-il d'un ton qui se voulait enjoué.

— Mais surtout du sien ! fit la voix de Tristan, derrière le souverain.

À sa grande stupeur, Clothilde fut soulagée de cette intrusion. Jean sans Terre, lui, masqua fort bien sa déconvenue. Il bredouilla une vague excuse, affirmant qu'il cherchait son cheval, puis partit en direction des écuries royales que Tristan venait de lui indiquer.

Pleine de gratitude malgré elle, la jeune fille se jura de ne pas provoquer de querelle.

— Vous vouliez me parler ? demanda-t-elle d'un ton neutre.

— En fait, j'apportais un peu de sucre à Flèche avant de retourner à ma tâche.

Clothilde vit avec étonnement son étalon s'avancer, impatient de savourer le sucre que lui offrait Tristan dans sa paume, comme s'ils étaient les meilleurs amis du monde. C'était extraordinaire.

— Ce n'est pas la première fois qu'il vous mange dans la main, commenta-t-elle un peu agressivement.

— Non. Je viens souvent le voir, répondit-il en haussant les épaules.

— Pourquoi ?

— Pourquoi pas ?

Parce que c'était gentil de sa part, et que la jeune femme le croyait cruel envers les animaux. Il devait avoir une raison cachée d'agir ainsi.

— Vous a-t-il menacée ?

La jeune fille ne quitta pas son cheval des yeux, afin de mieux se concentrer.

Tristan faisait allusion au roi.

— Il m'a adressé quelques remarques désobligeantes, volontairement ou pas, je l'ignore. Je doute qu'il soit passé par hasard. Il m'a suivie.

— Vous croyez ?

— Oui. Peut-être voulait-il parler de ce qui s'est passé entre nous l'autre soir... Votre arrivée l'en aura empêché. En tout cas, il a cherché à m'humilier.

Il ne releva pas l'amertume de la jeune fille.

— Mon père voulait vous confiner dans les appartements des femmes à cause des allées et venues des invités. Je commence à croire que c'était une bonne idée.

— Vous allez m'emprisonner ? s'exclama Clothilde, en lui jetant un regard noir.

— Uniquement jusqu'au mariage, quand tous les invités me seront familiers. Votre assassin est peut-être tout proche, déguisé en serviteur. Il ne faut plus que l'on puisse vous surprendre seule une seule seconde.

— Je pensais que le roi m'éviterait. À présent, n'aimeriez-vous pas savoir ce qu'il a en tête ? À moins que vous ne souhaitiez lui en parler vous-même ? Je devrais peut-être lui faire croire que personne n'est au courant, surtout pas les Thorpe. Ainsi, il lui serait plus facile de sauver la face.

— Je n'ai que faire de l'aider à sauver la face ! Je ne veux plus qu'il ait la possibilité de vous voir seule.

— Vous redoutez que je ne lui donne plus qu'un coup de pied, cette fois ?

— Non. Je ne veux pas qu'il y ait une autre fois. Ne comprenez-vous pas que je dois vous protéger contre ses machinations ?

Clothilde fut un peu gênée par cette marque d'intérêt. Elle préféra détourner la conversation.

— Je ne sais toujours pas comment vous m'avez retrouvée aussi vite. Vous n'avez donc pas pris la peine de faire fouiller le château ?

— Je commence à vous connaître, Clothilde. À quoi bon se cacher si l'on sait que l'on sera retrouvé ?

Elle n'appréciait guère qu'il la devine aussi bien. D'autant plus qu'elle ne pouvait en dire autant de lui.

Coupant court à leur conversation, il déclara :

— Venez, je vous ramène dans la grande salle.

— Vous allez m'enfermer ?

Il poussa un soupir :

— Jusqu'à ce qu'il n'y ait plus aucun étranger au château, je ne veux prendre aucun risque. Je m'occuperai de Flèche, n'ayez crainte. De plus, vous n'aurez qu'à rester auprès de ma mère. Ou de moi-même.

— Vous n'arriverez pas à me convaincre, rétorqua-t-elle. Une prisonnière reste une prisonnière.

# 42

Tristan n'appréciait guère l'intérêt que le roi Jean portait à Clothilde. D'autant plus qu'elle croyait pouvoir gérer seule la situation. Mais, avant tout, il déplorait qu'elle lui en veuille à ce point.

À leur retour à Shefford, le jeune homme avait espéré que leurs relations prendraient une tournure nouvelle. Après la colère qu'il avait ressentie en constatant sa disparition, il avait dû admettre qu'il était jaloux et qu'il ressentait pour elle plus qu'un simple désir. En vérité, plus il la voyait, plus Tristan recherchait sa présence.

Cette attirance était une expérience nouvelle pour lui. Clothilde l'amusait et l'exaspérait à la fois. De plus, il s'inquiétait pour la sécurité de sa fiancée. En tout cas, pas une seconde il ne s'ennuyait en sa compagnie.

Par chance, il croisa sa mère, ce qui lui épargna d'avoir à enfermer lui-même Clothilde dans ses appartements. Il confia donc sa fiancée à Anne, ce qui n'empêcha pas Clothilde de le foudroyer du regard.

Qu'importe ! Sa sécurité était primordiale, même au prix d'une certaine animosité. Il s'occuperait d'elle après le mariage. Pour l'heure... Il alla trouver son père pour lui faire part des nouvelles mesures qu'il avait prises.

Guy savait que la jeune fille s'était enfuie du château, mais il ignorait tout des agissements du roi Jean. Tristan lui avait décrit l'attitude de Roland, ce qui amusa beaucoup Guy.

Les parents des jeunes gens ne considéraient en rien l'incident comme un obstacle au mariage. Pourtant, Tristan savait que la jeune fille souhaitait toujours épouser un autre homme. Sa seule consolation était la certitude qu'elle n'était pas amoureuse d'un autre. Or, il ne l'aurait jamais su si Clothilde n'était pas partie pour Clydon.

Quand il regagna la grande salle, tout était rentré dans l'ordre. Les serviteurs préparaient le dîner. Sa mère et ses invitées étaient assises au coin de feu, tandis que les hommes étaient conviés à un tournoi de tir à l'arc organisé par Guy. Tristan croyait trouver Clothilde en compagnie des dames qui ne s'intéressaient guère à ce genre d'activités.

Sa mère vint aussitôt au-devant de lui et l'entraîna dans un coin pour ne pas être entendue des domestiques.

— Regarde cette fille, là-bas, la brune, souffla-t-elle, le regard soupçonneux.

— Elles sont toutes brunes, mère.

— La catin !

Ce terme amusa le jeune homme, car sa mère n'avait pas pour habitude d'insulter ses semblables. La femme en question affichait effectivement une attitude très équivoque.

— Et alors ? demanda-t-il.

— Elle n'a rien à faire ici.

Anne avait raison. Les prostituées n'étaient pas les bienvenues à Shefford. Pourtant, malgré son allure provocante, la jeune femme s'affairait comme une servante, posant des tranchoirs sur la table.

— Avez-vous cherché à lui faire adopter une tenue plus convenable ?

— Pourquoi le ferais-je si elle n'est pas l'une de nos servantes ? railla Anne.

— Alors que fait-elle parmi nous ?

— À toi de le découvrir. Tu m'as demandé de te signaler toute personne suspecte. Bien sûr, je l'ai interrogée. Elle prétend être quelque cousine de Gilbert, au village, qui lui aurait demandé d'aider aux cuisines. Mais je connais nos villageois. Gilbert ne m'a jamais parlé de cette cousine.

— Et qu'a dit Gilbert ?

— Je n'ai pas eu le temps d'aller au village pour l'interroger. Je n'ai remarqué cette fille que très récemment. À présent, à toi de jouer. Si c'est vraiment une cousine de Gilbert, dis-lui qu'elle n'est pas la bienvenue dans le donjon. Cela fait des années que je n'ai pas mis quelqu'un dehors de la sorte.

Naturellement, il existait des prostituées au château, comme partout, mais Anne les ignorait car elles étaient discrètes.

Tristan se dirigea vers l'inconnue, qui venait poser les derniers tranchoirs sur la table du seigneur. Chose étonnante, car les seigneurs possédaient leurs propres serviteurs, des personnes de confiance. Le poison étant une arme courante, aucun sénéchal n'autorisait un inconnu à servir son seigneur à table.

Peut-être cette femme n'en était-elle pas consciente. Peut-être n'était-elle vraiment qu'une servante. Mais Tristan allait devoir se renseigner à son sujet. Il ne s'inquiétait pas pour son père, mais pour Clothilde, dont les agresseurs couraient toujours.

# 43

— Tu as vu ? souffla Clothilde à sa sœur.

Assise au coin du feu, Jeanne leva les yeux de son ouvrage. À la demande de lady Anne, elle cousait un élégant drapé de soie pour la cérémonie de mariage.

— Non. Qu'y a-t-il ? s'enquit-elle en suivant le regard de Clothilde.

— Tristan au bras d'une vulgaire catin. Ils viennent de s'éclipser discrètement, expliqua-t-elle. Tu te rends compte ? Ce monstre n'attend même pas d'être marié pour me tromper ouvertement.

Jeanne la considéra un instant, incrédule.

— Il me semble que tu tires des conclusions un peu hâtives. Tu ne sais pas vraiment…

— J'ai tout vu ! coupa Clothilde avec véhémence. Il a d'abord négocié la somme qu'il devrait lui verser pour ses attentions, puis il est parti avec elle, comme s'il ignorait ma présence. Il a même posé un bras sur ses épaules.

— Cela ne veut rien dire, insista Jeanne. Il a pu faire ce geste pour un tas de raisons qui n'ont rien à voir avec une quelconque tromperie.

— N'essaie pas de le défendre une fois de plus ! lança Clothilde. Je ne suis pas aveugle.

— Puis-je te demander quelle différence cela fait, puisque vous n'êtes pas encore mariés ? Ses agissements ne te regardent en rien.

— Je constate simplement le sort qu'il me réserve pour plus tard. Ce traître n'hésitera pas à entretenir des maîtresses sous mon toit.

— Et alors ? fit Jeanne. Tu me sembles bien jalouse, tout à coup.

Clothilde demeura coite, mais reprit vite son air maussade pour nier farouchement :

— Je ne me soucie guère de ses faits et gestes ! Qu'il prenne toutes les femmes qu'il veut ! Mais je ne veux pas en être témoin, ni inspirer la pitié à mes amies.

— Balivernes ! Tu es jalouse, un point c'est tout ! s'exclama Jeanne d'un air entendu. Tu devrais plutôt rechercher les raisons de cette jalousie.

— Je te répète que je ne le suis pas !

Jeanne se contenta d'un hochement de tête condescendant.

— Je me demande pourquoi je discute encore avec toi, protesta Clothilde. Tu es tellement persuadée que le grand amour va arriver comme par enchantement entre Tristan et moi que tu ne vois rien d'autre.

— Et toi, tu t'entêtes à refuser l'évidence de cet amour. Comment te faire comprendre que Tristan n'est pas aussi odieux que tu le crois ?

— J'avoue que je suis prête à l'admettre, à présent, bredouilla sa sœur.

— Comment ?

Les joues empourprées, Clothilde se justifia :

— Ce n'est pas parce que je n'ai pas encore vu le pire que je n'y serai pas confrontée une fois mes vœux prononcés.

— Cesse donc de te tourmenter à l'avance. Laisse venir les événements tout en gardant l'esprit ouvert et sois prudente. La vie pourrait bien te réserver de bonnes surprises ! Tu comprendras vite combien les hommes sont faciles à manipuler. Crois-moi, tu vas changer d'avis sur Tristan.

— Tu aurais dû devenir abbesse, répliqua Clothilde après réflexion. Tu n'as pas ta pareille pour guider, conseiller ton prochain, et lui donner de l'assurance.

— J'y ai songé, avoua Jeanne en rougissant.

— Vraiment ?

— Oui. Juste après la mort de William.

— Alors pourquoi as-tu renoncé à cette idée ?

— Même si je ne souhaite pas me remarier, la vie conjugale me plaisait. Et, qui sait, je pourrais un jour changer d'avis.

Clothilde réfléchit aux paroles de sa sœur. En effet, la vie évoluait, de même que les sentiments. Mais elle ne pouvait compter sur une métamorphose radicale de Tristan. Pour l'heure, elle n'avait que l'espoir d'un avenir meilleur.

Plus persuadée que jamais de ne pouvoir vivre en harmonie avec Tristan, elle laissa donc Jeanne à sa couture. Quoi qu'il arrive, son mari trouverait le bonheur dans d'autres bras.

Il aurait pu choisir n'importe quelle femme du château pour assouvir ses instincts. Beaucoup étaient plus avenantes que celle au bras de laquelle il était parti. Pourtant, c'est cette catin qu'il avait choisie, uniquement dans le but de montrer à sa fiancée qu'elle n'avait rien à dire.

# 44

La colère était un sentiment imprévisible capable d'engendrer plus de mal que l'événement l'ayant provoquée. Ce jour-là, en regagnant la grande salle, Tristan avait proposé à Clothilde de l'accompagner à un tournoi de tir à l'arc.

Naturellement, la jeune fille refusa, trop furieuse contre lui. Par la suite, elle s'en voulut d'avoir renoncé à un agréable divertissement.

Rongé par la culpabilité, il devait l'avoir invitée pour se faire pardonner. Finalement, elle avait bien fait de refuser. De plus, elle aurait peut-être regretté de ne pouvoir prendre une part active au tournoi.

Son père l'aurait autorisée à tirer à l'arc, car les gens de Dunburgh connaissaient son talent d'archer et nul ne le contestait. Cependant, les Thorpe risquaient de s'offusquer de voir leur future bru participer à cette activité masculine.

La compagnie chaleureuse de lady Anne apaisa quelque peu son ressentiment. Clothilde était souvent confinée dans les appartements des femmes et sa tension grandissante lui faisait oublier son enfermement.

La veille de la cérémonie nuptiale, lord Nigel arriva enfin à Shefford, à la grande surprise de sa fille. Il prétendit avoir été souffrant, comme en attestaient son visage émacié et son teint livide.

La jeune fille dut admettre qu'elle avait eu tort de douter de la venue de son père.

Lord Nigel eut à subir les remontrances de ses hôtes qui lui reprochaient son imprudence et Jeanne et Clothilde insistèrent pour que lord Nigel se couche tôt. Elles renvoyèrent les écuyers afin de s'occuper elles-mêmes de leur père. Bien que trop affaibli pour entreprendre un si long voyage, il était venu jusqu'à Shefford au prix d'un effort surhumain pour assister au mariage de sa fille aînée. Clothilde lui en fut reconnaissante. Il la pria de rester un instant à son chevet après le départ de Jeanne.

— Alors, ma fille, qu'as-tu décidé à propos du jeune Tristan ? Avoue qu'il fera un excellent mari !

Elle ne voulait pas inquiéter son père en lui avouant la vérité. C'était inutile puisqu'elle n'avait d'autre possibilité que de se marier.

— En effet, répondit-elle.

Nigel se mit à rire, ravi d'être conforté dans son opinion. Clothilde songea qu'il y avait au moins un heureux.

— Tu es inquiète ? s'enquit-il.

— À peine, mentit-elle.

En fait, l'émotion lui coupait l'appétit. Elle ignorait la cause exacte de cette tension. La nuit de noces ? Ou le fait de se retrouver sous l'emprise de Tristan ?

— Ton angoisse est tout à fait normale, assura Nigel en lui tapotant la main. Au fait, comment va ta blessure ?

— Comment ? Ah ! Je suis complètement rétablie. C'est oublié depuis longtemps.

— Tu me le dirais, si tu souffrais de quelque façon, n'est-ce pas ?

— Certainement pas ! s'exclama la jeune fille avec un sourire taquin.

— Tu es comme ta pauvre mère. Tu cherches toujours à m'éviter des soucis.

— J'aurais tant aimé la connaître ! déclara Clothilde avec un soupir. Je suis désolée. Je sais que tu pleures toujours sa disparition.

Nigel sourit pour la rassurer, mais elle lut du chagrin dans son regard.

— Moi aussi, je regrette que tu ne l'aies pas mieux connue. Elle aurait été fière de toi, tu sais.

Clothilde sentit les larmes lui monter aux yeux.

— Non. Elle aurait eu honte de mon comportement, tout comme vous...

— Voyons, qu'est-ce qui te prend ? Ne crois pas que je ne suis pas fier de toi. Tu me rappelles tant ta pauvre mère ! Entêtée, volontaire, fière, et je l'aimais pour ces qualités. Ta mère et toi étiez différentes des autres femmes. Tristan s'en réjouira quand il te connaîtra mieux.

La jeune fille avait du mal à le croire, même si ces paroles flatteuses étaient agréables à entendre. Son père avait tant de fois critiqué son comportement masculin et évoqué la honte qu'elle jetait sur lui. Pourtant...

— Dans ce cas, pourquoi avoir tenté de brider mon indépendance ? lui demanda-t-elle.

— Tu étais l'aînée, Clothilde, expliqua Nigel avec un soupir. Il fallait que tu comprennes la différence. Que tu comprennes que les autres ne toléreraient pas ton caractère. Je voulais t'épargner des souffrances. Ta mère, elle, savait s'adapter aux circonstances. J'espérais te l'enseigner, mais...

Il s'interrompit, mal à l'aise.

— Mais je n'ai pas appris à me comporter normalement... compléta Clothilde.

— En fait, tu refusais toute forme d'autorité. Tu ne sais pas faire la part des choses et tu ne tiens pas compte de l'opinion des autres.

— En quoi est-ce si mal ?

— Il faut parfois faire des compromis, dans la vie, du moins se dominer, s'adapter aux circonstances. Savais-tu par exemple que je cousais ?

— Comment ? fit Clothilde, éberluée.

— Eh bien oui, je sais coudre. Cela me détend. Malgré mes doigts noueux, je réalise des ouvrages délicats avec une certaine habileté.

— Vous plaisantez, père !

— Non. J'ai même cousu de nombreux vêtements pour ta mère, mais personne ne le savait à part nous deux. Jamais je ne me serais montré aux yeux de tous. Pourquoi ? Ta réaction est parlante. Un vieux guerrier ne coud pas s'il ne veut pas être la risée de son entourage.

Clothilde comprit que, pendant toutes ces années, elle n'avait pensé qu'à elle. Désormais, elle ne pouvait agir sans tenir compte des autres.

— C'est affreux d'avoir à se retenir parce que les autres ne sont guère tolérants, commenta-t-elle. Vous ne regrettez pas d'avoir à vous cacher pour vous livrer à votre occupation favorite ?

— Non. Cela n'amoindrit pas mon plaisir. Je sais que c'est plus difficile pour toi, car tes activités de prédilection se pratiquent en plein air. Je ne cherchais pas à me comparer à toi. Si tu parvenais à accepter d'agir à ta guise de temps à autre, mais pas constamment, tu serais bien plus heureuse.

— Je crois avoir compris. Après tout, depuis mon arrivée, je ne me suis pas sentie si mal en bliaud. Je ne voulais pas voir le regard réprobateur de lady Anne. Je l'aime beaucoup, et je ne voudrais pas la décevoir.

— Si tu savais comme j'ai espéré t'entendre parler ainsi ! répondit son père.

— Je n'ai pas dit que j'avais changé du tout au tout, marmonna la jeune fille.

Il rit. Clothilde avait, l'espace d'un instant, oublié ses tourments et son appréhension.

# 45

Jeanne avait veillé elle-même à préparer la mariée pour la cérémonie nuptiale. Avec amour, elle avait cousu un bliaud de velours jade digne d'une reine, richement paré, incrusté de joyaux et brodé d'or, avec un manteau assorti, une tunique de satin doré et un corset en fils d'or. La jeune fille pliait presque sous le poids de sa toilette. Elle se garda toutefois de se plaindre, consciente des efforts déployés par sa sœur pour la satisfaire.

Juste avant l'habillage de la mariée, une autre toilette arriva au château, livrée par un petit page au sourire malicieux.

— Un présent de votre père, le seigneur de Dunburgh, déclara-t-il à la mariée.

Elle découvrit un bliaud d'argent, cousu dans un tissu précieux que son père avait rapporté de Terre sainte. Douce comme de la soie et très légère, l'étoffe scintillait au soleil matinal. La tunique qui l'accompagnait était d'une blancheur immaculée, brodée de fils d'argent.

Naturellement, Jeanne fut très déçue de constater que son travail ne pouvait rivaliser avec celui-ci.

— Je ne comprends pas pourquoi père t'a fait coudre ce bliaud, déclara-t-elle, la mine déconfite. Il devait se douter que je ne te laisserais pas te marier en chausses. D'ailleurs, ce tissu est trop fin pour la saison.

— Pas si je porte un manteau approprié, répliqua Clothilde avant d'ajouter à voix basse, ne ris pas, mais c'est notre père qui a cousu lui-même cette toilette.

— Ai-je bien entendu ? fit Jeanne, ébahie.

— Parfaitement. Hier soir, j'ai réagi comme toi quand il m'a révélé qu'il adorait la couture. Il a même cousu des bliauds pour notre mère.

— Tu plaisantes ! s'exclama Jeanne. Je me réjouis que ta nervosité se traduise aussi gaiement, mais tu vas un peu loin, tout de même...

— Regarde-moi, insista Clothilde. Ai-je l'air de mentir ? Je suis certaine que c'est son ouvrage. Note la finesse des points. Connais-tu une femme à Dunburgh qui soit aussi habile ? À part toi, bien sûr. N'es-tu pas la seule couturière à qui il aurait confié un tissu aussi précieux, non ?

Jeanne examina l'ouvrage de plus près.

— En effet. Mais il a peut-être fait appel à une couturière extérieure au château. Qu'importe. C'est cette toilette que tu dois enfiler car il te l'a offerte.

— J'aurais bien des occasions de porter la tienne, tu sais. Les Thorpe donnent des réceptions dignes d'un roi.

Jeanne en fut apaisée.

— Tu vas tout de même grelotter de froid sur le chemin du village.

— Mais non, répondit Clothilde. Je sens que tu vas m'obliger à revêtir une cape bien chaude.

— J'en ai une qui conviendra parfaitement, confirma Jeanne. Elle est en velours doublé de renard.

La tension de Clothilde réapparut tandis qu'elle se préparait. Puis le convoi se mit en route vers l'église. Bien trop vite à son goût, la jeune fille se retrouva mariée avec Tristan de Thorpe.

Cette journée de noces ne lui laissa qu'un souvenir trouble. Les craintes qu'elle nourrissait depuis son enfance venaient de se réaliser. La procession vers l'église, la messe, tout lui paraissait flou. Même les festivités qui suivirent se déroulèrent dans le brouillard. Les invités se réjouirent de la réussite de la fête.

Puis vint l'humiliante cérémonie précédant la nuit de noces, au cours de laquelle toute jeune mariée devait être présentée à son mari et à quiconque souhaitait y assister. La moindre imperfection pouvait mener à la répudiation immédiate. Enfin, elle surmonta sa honte et se retrouva dans la chambre nuptiale, seule avec Tristan.

— Vous ai-je dit combien vous étiez radieuse, aujourd'hui ? déclara-t-il.

Pour la première fois, Clothilde reprenait contact avec la réalité.

— Je ne crois pas.

— En fait, je plaisantais. Je vous l'ai répété mille fois, dit Tristan. Vous ne vous rappelez pas ?

— Bien sûr ! Je plaisantais, moi aussi, mentit-elle, se demandant ce qu'il avait pu lui raconter durant cette journée.

Elle se sentait un peu grise. À l'idée de se retrouver nue dans ce grand lit avec Tristan, elle commença à regretter d'avoir accepté ce mariage. Un peu perdue, elle n'avait pas vraiment retrouvé la notion du temps.

— Avons-nous... terminé ? s'enquit-elle.

Tristan éclata de rire.

— Je préfère attendre que les effets de l'alcool se soient un peu dissipés, répondit-il. J'avoue que je commence à bouillir d'impatience. Cruel dilemme, vous ne trouvez pas ?

— Pour moi, la décision est facile à prendre, répondit-elle. Attendez donc encore un peu.

Le jeune marié rit de nouveau. Que trouvait-il donc de si amusant ?

Malheureusement, en retrouvant peu à peu ses esprits, Clothilde sentit son angoisse remonter à la surface. Y compris la colère qui s'était emparée d'elle quand elle l'avait vu partir au bras d'une prostituée. Elle faillit quitter le lit, mais se ravisa, de peur de révéler son corps nu à au regard de son mari.

— Quoi encore ? demanda-t-il avec un sourire, percevant son changement d'humeur.

Elle refusait de lui avouer que ce souvenir lui était insupportable.

— Vous êtes-vous bien lavé après avoir couché avec cette vulgaire catin ? demanda-t-elle.

— Quelle catin ? demanda-t-il, éberlué.

— Il y en a eu tant que vous ne vous rappelez pas laquelle ? Celle que vous avez séduite dans la grande salle du château, l'autre jour.

Il la dévisagea longuement puis éclata de rire.

— Vous ne croyez tout de même pas que j'ai couché avec cette souillon ?

Clothilde comprenait à présent la raison de cette hilarité. Jeanne avait raison, elle s'était méprise sur la situation et Tristan s'en amusait beaucoup.

— Alors pourquoi êtes-vous parti à son bras ? demanda-t-elle, malgré sa honte.

— Pour découvrir qui elle était vraiment et ce qu'elle faisait dans l'enceinte du château. Elle préparait le repas alors qu'elle n'avait rien à faire à Shefford.

— Elle n'accompagnait pas quelque invité ?

— Non. Elle a fourni un faux prétexte à ma mère, qui s'en est inquiétée et m'a alerté. Elle redoutait que cette fille ne vous veuille du mal.

Clothilde réfléchit.

— Vous n'étiez pas obligé de la prendre ainsi par les épaules, non ?

— J'ai senti son malaise alors que je l'entraînais hors de la pièce, expliqua Tristan en haussant les épaules. Je voulais m'assurer qu'elle ne s'enfuirait pas. Malheureusement, dans la cour, elle m'a échappé. Ensuite, je ne l'ai plus retrouvée. Sa fuite prouve qu'elle avait de mauvaises intentions. Elle va certainement tenter de nouveau sa chance. J'ai chargé des gardes de me prévenir si elle réapparaissait.

— Comment a-t-elle pu entrer au château ?

— Elle a affirmé être une cousine de l'un de nos vilains. Celui-ci avait accepté de jouer le jeu en échange de ses faveurs, mais il ne voulait mentir qu'à ses voisins. Quand je l'ai interrogé, il m'a vite avoué la vérité.

Clothilde était à présent gênée de l'avoir soupçonné à tort. Elle voulut s'excuser, mais il n'en avait pas terminé.

— Écoutez-moi bien. Je suis prêt à tolérer vos caprices et vos colères, mais pas au lit.

— Mes caprices ? répéta-t-elle.

— Je parle de vos sautes d'humeur. Je tiens à ce que vous appreniez à les maîtriser lorsque nous serons dans ce lit. Que vous ne pensiez qu'à me satisfaire. En retour, je ne songerai qu'à votre plaisir. N'oubliez pas que cet accord vous interdit de vous mettre en colère dans ce lit.

— Vous ne pouvez contrôler la colère d'autrui, répondit-elle, incrédule.

— Certes, mais je peux vous rendre la vie difficile.

— Vous menacez de me frapper ? répondit-elle.

— Non. Mais je vous enfermerai chaque fois que vous hausserez le ton. Très vite, vous serez tout sourire. Ce n'est pas une mauvaise idée, finalement.

Il semblait plaisanter, ce qui était le cas, mais Clothilde ne pouvait prendre un tel risque.

— Je suis d'accord, marmonna-t-elle.

— Comment ?

— J'accepte vos conditions, lança-t-elle.

— Quand commençons-nous ?

Elle rougit et ferma les yeux pour ne pas voir son sourire. Ces compromis amusaient follement son époux. C'était injuste. À peine mariés, il commençait à imposer sa loi.

# 46

Voyant que la jeune fille ne disait rien et gardait les paupières closes, Tristan lui effleura le front en murmurant :

— Il vous est donc si difficile de ne plus m'en vouloir, l'espace d'un instant ?

Clothilde grommela. Par esprit de contradiction, elle eut envie de répondre par l'affirmative, mais elle aurait menti. À certains moments, Tristan la faisait rire, et parfois même, il... elle rougit au souvenir de ses troublantes caresses.

Maintenant qu'elle ne pouvait lui reprocher son attitude envers cette vulgaire prostituée, elle était agacée par son caractère autoritaire. Mais elle se devait de ravaler sa fierté et ses reproches.

En rouvrant les yeux, elle découvrit ceux de Tristan empreints d'une chaleur nouvelle. Sans doute imaginait-il déjà les délices qu'il avait évoquées. Ne s'était-il pas engagé à tout faire pour lui procurer du plaisir.

Aussitôt, la gorge de Clothilde se noua. Ainsi, il voulait lui donner du plaisir ? Par expérience, elle l'en savait capable.

Depuis leur première étreinte, elle n'avait eu de cesse d'oublier ces sensations enivrantes. Elle avait eu toutes les peines du monde à chasser ce souvenir de ses pensées. Les caresses et les baisers de Tristan avaient le pouvoir de lui ôter toute volonté.

Soudain, elle se sentit intimidée. Tristan attendait sa réponse avec une impatience non dissimulée. Mais faire des concessions n'était pas facile. Par orgueil, Clothilde n'osait céder sans résister.

— Très difficile, en effet.

Avant qu'il puisse réagir, elle ajouta, un sourire au coin des lèvres :

— Mais pas impossible.

— Je n'en attendais pas moins de vous, avoua-t-il, satisfait. J'apprécierai à leur juste mesure tous les efforts que vous déploierez pour maintenir la paix dans notre couple. Je ferai aussi en sorte que vous ne le regrettiez pas.

— Voilà qui me semble… prometteur.

— Peut-être devrais-je vous donner un avant-goût de ce qui vous attend ?

Elle se rendit soudain compte que, depuis qu'elle avait retrouvé ses esprits, nue, dans le lit conjugal, Tristan n'était plus lui-même. Quand il cherchait à la séduire ainsi, il se métamorphosait, ce qui n'était pas pour déplaire à Clothilde.

Finalement, l'épreuve de la nuit de noces ne se révélerait peut-être pas aussi pénible qu'elle le redoutait. Elle sentit les doigts de Tristan effleurer sa joue puis il l'embrassa.

Ce fut un baiser enivrant, à la fois tendre et passionné. Clothilde s'embrasa aussitôt et accepta cette caresse avec une ardeur inattendue. Soudain, elle oublia ses craintes, impatiente de passer à l'acte, les sens en éveil.

Ne pouvant retenir son impatience, elle se laissa aller à lui rendre son baiser. Elle avait envie de découvrir le goût de ses lèvres, la sensualité de son corps. Plus elle l'embrassait, plus son désir montait.

Lentement, elle enlaça Tristan, ne se souciant plus de révéler ses seins nus à son regard. Il l'allongea doucement et se pencha sur elle.

Elle sentit la caresse de ses cheveux longs sur ses épaules tandis qu'il déposait un chapelet de baisers brûlants dans son cou, derrière son oreille, mordillant au passage la peau nacrée de sa nuque. Clothilde gémit doucement. Le corps de Tristan se tendit de désir.

Clothilde ne pensait plus à rien. Tout n'était que sensations et volupté. Tristan saisit un sein de nacre dans sa paume et le pétrit sans cesser d'embrasser la jeune femme. Puis il prit son mamelon dressé entre ses lèvres, envoyant des ondes de plaisir dans le corps de Clothilde.

Une douce chaleur lui envahit le ventre. Le souffle court, elle l'attira vers elle. Mais Tristan ne broncha pas, bien décidé à la rendre folle de désir. Ses mains brûlantes procuraient à la jeune fille un plaisir indicible.

Il explora de ses doigts la moindre parcelle de son corps. Se souvenant de l'extase qu'elle avait connue sous ses caresses, la jeune femme attendit, impatiente, qu'il recommence.

Écartant ses cuisses d'albâtre, il se mit à la caresser au plus profond de son intimité. Elle crispa les poings, ne sachant comment lui faire comprendre ce qu'elle désirait de lui. Sa langue brûlante traça un sillon entre ses seins, remontant dans son cou avant de s'emparer de sa bouche avide.

Elle se cambra contre lui, cherchant son contact, frissonnante, mais ce ravissement qu'elle recherchait ne venait pas. Chaque fois qu'elle frôlait l'extase sous ses caresses, il s'interrompait.

Dévorée de désir, elle se mit à lui marteler le dos de ses poings. Il lui prit les poignets en riant et s'allongea sur elle pour lui donner ce qu'elle désirait tant.

Il la pénétra facilement tant elle le désirait. Aussitôt, Clothilde revint à elle. Elle avait oublié que cet acte était lié à la douleur d'une première fois. Elle voulut se venger, mais fut incapable du moindre mouvement tant leurs corps étaient soudés l'un à l'autre.

— Enroulez vos jambes autour de ma taille, lui souffla-t-il d'une voix rauque. Surtout, ne me lâchez pas, quoi qu'il arrive…

— Non… promit-elle dans un gémissement.

Guidée par son instinct, elle se laissa faire. Ce plaisir qu'elle recherchait n'allait pas tarder à exploser en elle. Il enfla à chaque coup de reins, plus intense que jamais. Puis, dans un dernier spasme, il s'écroula entre ses bras, haletant.

Elle se rendit compte qu'elle l'enlaçait, mais n'avait aucune envie de le lâcher.

Alors qu'elle allait le libérer de l'emprise de ses jambes, il murmura :

— Non, pas encore…

Elle sourit. Avait-il lu dans ses pensées ? Ou cherchait-il à prolonger cet instant magique ?

# 47

Cela faisait des semaines que Clothilde n'avait pas aussi bien dormi. Elle se réveilla un sourire aux lèvres, ce qui n'échappa pas à Tristan qui lui demanda :

— Aurais-tu fait de beaux rêves ?

Elle fut stupéfaite de trouver son mari encore à ses côtés. Clothilde avait envisagé tous les aspects du mariage, mais n'avait pas songé une seconde qu'elle se réveillerait chaque matin près de Tristan.

— En fait, je ne me rappelle aucun de mes rêves. J'ai trop bien dormi, répondit-elle.

— Dans ce cas, j'oserai mettre ton sourire sur le compte de cette nuit enchanteresse. Moi-même, je n'ai jamais été aussi heureux.

Non seulement Tristan la taquinait, mais il paraissait satisfait d'elle et de lui-même. Clothilde rougit violemment. Son mari sourit en se frottant l'épaule, là où, dans sa passion, la jeune femme l'avait frappé.

Mortifiée, elle enfouit le visage dans son oreiller. En riant, il lui tapota affectueusement les fesses.

— Viens. Il faut nous occuper de nos invités. La plupart s'en vont aujourd'hui.

Elle s'assit, heureuse qu'il n'insiste pas.

— Le roi aussi ? fit-elle, pleine d'espoir.

— Oui. Il n'a aucune raison de s'attarder. Pourquoi ? T'aurait-il importunée de nouveau ?

Il n'en aurait pas eu l'occasion. Mais la jeune femme se garda de lui en faire la remarque, afin de ne pas déclencher une querelle après une telle nuit.

Elle se troubla à ce souvenir. Attendri, Tristan se pencha pour effleurer ses lèvres d'un baiser.

— Tu es si drôle quand tu fais cela, déclara-t-il. Rougir ne te ressemble pas.

— Je ferai en sorte de ne pas recommencer, répliqua-t-elle en surmontant sa gêne.

— Vraiment ?

Il posa les yeux sur ses seins nus. Elle s'empourpra aussitôt.

En fait, pendant le reste de la journée, Clothilde eut mille occasions de s'empourprer. Les plaisanteries grivoises fusaient de toutes parts. Honteuse, elle assista à la présentation du drap souillé par les suivantes les plus âgées, endura le récit des prouesses sexuelles des hommes, notamment de son mari.

Tristan était de très bonne humeur. Elle se demanda pourquoi il semblait si heureux. Après tout, il aimait une autre femme. Il devrait être atterré, mais il ne l'était pas plus que Clothilde.

Pourquoi n'était-elle pas triste ? Une nuit de volupté n'était en rien la garantie d'une harmonie sans faille. Tristan n'était toujours qu'un homme cruel et brutal. Il suffisait à la jeune femme d'enfiler des chausses pour voir à qui elle avait affaire. Ou d'aller à la chasse, comme elle en mourait d'envie.

Tout le monde dut se réunir pour assister au départ en fanfare du roi et de sa suite. Clothilde vit Tristan saluer le souverain courtoisement, afin de ne pas révéler qu'il connaissait ses secrets.

Au moment de s'éloigner à cheval, le roi Jean posa les yeux sur elle et lui fit signe d'approcher. Elle dut rougir car tous les regards étaient rivés sur elle tandis qu'elle avançait lentement vers le roi.

Tristan devait être le seul à ne pas s'interroger sur l'appel du roi. Avant qu'elle ne commence à s'avancer, il l'attira contre elle et lui murmura :

— Tu n'es pas obligée d'obéir. Il n'en ferait pas un drame.

La nervosité de Tristan était palpable. Il ne pouvait demander réparation au roi sous peine de passer pour un traître.

— Je sais, répondit-elle. Mais je meurs d'envie de savoir ce qu'il me veut. Laisse-moi y aller, dans notre intérêt.

Sans laisser le temps à son mari de la retenir, elle traversa la cour. Le roi ne mit pas pied à terre, mais se pencha pour lui parler discrètement.

— Je sais que c'est inutile, déclara-t-il, mal à l'aise, mais nous vous présentons nos excuses, Clothilde de Thorpe, pour tout ce malentendu. J'ai parlé avec Guy, après notre… entrevue. Je suis heureux de constater qu'il me restera fidèle. Votre père m'a également assuré de sa loyauté. Alors oublions tout cela.

C'était une façon de dire qu'il ne s'opposait plus au mariage. Elle comprit aussi qu'elle devrait garder le silence.

Il pensait donc qu'elle n'avait rien dit à personne. Elle n'allait pas le contredire.

— Certainement, Majesté, déclara-t-elle avec un sourire convaincant. Je ne révélerai à personne que j'ai donné un coup de pied au roi d'Angleterre.

C'était audacieux. Elle risquait de déclencher la colère du souverain. Mais il se contenta d'éclater de rire.

— J'aime ton esprit, ma fille. C'est ce que j'ai dit à mon homme en l'envoyant mettre fin à certaines manigances. Il ne faut jamais écraser les fortes personnalités.

Sur ces mots, il partit au trot, accompagné de son escorte. Elle le suivit du regard, sentant la présence de Tristan à ses côtés. Il la prit par les épaules pour la ramener dans le donjon.

Il ne dit mot. Mais dès qu'ils furent seuls, il ne put contenir sa curiosité.

— Alors ? fit-il sans détour.

— Je crois que ces agressions contre moi vont cesser. J'ignore si le roi était le seul impliqué, mais il était au courant. Il me l'a fait comprendre.

— Tu es sûre ?

— J'ai pu me méprendre, mais j'en doute. Il m'a également mise en garde. Je ne dois pas révéler son secret. Pour lui, l'affaire est réglée.

Tristan poussa un soupir de soulagement. Elle lui adressa un regard curieux, sans parvenir à formuler sa question. Jamais elle n'aurait cru pouvoir prononcer ces paroles, mais après cette nuit de volupté...

— N'aurais-tu pas eu avantage à ce que ces agresseurs parviennent à leurs fins avant le mariage ? Pourquoi m'as-tu fait protéger avec autant de zèle ? S'ils avaient réussi à me tuer, tu aurais pu...

Elle s'interrompit.

— Où es-tu allée chercher de telles idées ? lui demanda-t-il, furieux. Tu crois que je pourrais te vouloir du mal ? Mais pour quelle raison, bon Dieu ?

— J'en vois une, elle est évidente, coupa-t-elle sèchement. Tu aurais préféré épouser une autre femme, celle que tu aimes vraiment.

Il parut déconcerté. Puis la colère reprit le dessus, quoique atténuée.

— Si tu fais allusion à cette réflexion stupide que j'ai faite lorsque tu m'as affirmé être amoureuse d'un autre homme, alors tu es moins avisée que je ne le pensais. Tu aurais dû comprendre que je mentais. Ai-je l'attitude d'un homme qui se meurt d'amour pour une autre femme ? Si oui, dis-le-moi, que je me reprenne, car il n'y a nulle autre femme dans ma vie.

Il s'éloigna d'elle, laissant la jeune femme bouche bée.

Ainsi, il n'était pas amoureux ? Voilà qui changeait beaucoup de choses. Cette méprise l'avait empêchée de suivre les conseils de Jeanne et de s'intéresser à d'autres aspects de la personnalité du jeune homme. Il était maintenant libre d'aimer son épouse...

Son corps fut parcouru d'une onde de chaleur qui la laissa rêveuse et souriante.

# 48

Au moment du souper, Clothilde se surprit à observer Tristan avec attention. Même s'il dissimulait sa colère aux autres, elle sentait bien qu'il était furieux de son aveu, mais il faisait bonne figure.

Clothilde le sentait fulminer. De toute la journée, elle n'avait cessé de penser à la tournure nouvelle que prenait son mariage.

Dans l'après-midi, elle avait longuement évoqué ses souvenirs d'enfance avec Roland, désireuse de consacrer un peu de temps à son ami avant son départ prévu pour le lendemain.

Naturellement, elle se garda d'évoquer ses tourments, mais elle se confia à Jeanne.

Toutefois, Clothilde ne vit aucun intérêt à évoquer ce qui intéressait le plus sa sœur.

— Alors ? Tu as aimé cette nuit de noces ?

En la voyant rougir pour la centième fois, Jeanne comprit qu'elle avait vu juste.

— Tu penses que tu pourras vivre en paix, à présent, sans être constamment au désespoir ?

— Cela dépendra de la pièce dans laquelle je me trouve ! plaisanta Clothilde.

— Comment ?

— Qu'importe ! Je plaisantais. Je trouve que « constamment » est un peu exagéré. En fait, j'ai eu connaissance d'un élément qui pourrait bien améliorer la situation.

— Lequel ?

— Tristan n'aime aucune autre femme.

— C'est formidable ! s'exclama Jeanne. Il sera bientôt amoureux de toi, s'il ne l'est pas déjà.

— Déjà ? répéta Clothilde, incrédule. N'oublie pas qu'il a mis des années à se décider à m'épouser. Il a même voulu rompre ces fiançailles. Ce ne pouvait être qu'à cause de moi.

— C'est le passé et cela n'a plus d'importance. Il a appris à te connaître. Je l'ai observé, hier. Il paraissait le plus heureux des mariés.

— Il parvient à dissimuler ses sentiments.

— Tu penses qu'il est encore malheureux ?

— Pas vraiment, mais il est un peu fâché en ce moment.

— Que lui as-tu fait ? demanda Jeanne.

— Je lui ai posé une question très simple sur la femme qu'il aimait. Il m'a répondu qu'il n'y avait personne d'autre et que j'aurais dû m'en rendre compte par moi-même, en déchiffrant son comportement. Comme si je pouvais deviner...

— Je t'avais pourtant dit qu'il mentait peut-être, comme tu l'as fait toi-même. Je savais qu'il n'avait pas l'air d'être amoureux d'une autre.

Clothilde fut peinée d'entendre sa sœur utiliser les mêmes arguments que son mari.

— Les apparences sont souvent trompeuses. Tu n'as pas assisté à nos querelles perpétuelles. Je n'ai d'autre preuve de ses affirmations que le fait qu'il aime m'embrasser. Au vu de nos disputes, j'ai cru...

Jeanne s'entêtait presque autant que sa sœur.

— Lui as-tu au moins demandé ce qu'il avait à te reprocher ?

— Non.

— Tu devrais. Ce n'est peut-être pas très important, une méprise facile à éclaircir. Et toi, qu'as-tu à lui reprocher ?

— Tu le sais très bien, grommela Clothilde. Il cherche à m'imposer sa volonté.

— C'est normal, soupira Jeanne. C'est ton mari. Mais tu as le choix entre accepter ses ordres et le manœuvrer avec amour. Tu pourrais ainsi gagner quelques libertés.

Les jeunes femmes furent vite interrompues et ne trouvèrent plus l'occasion de se parler. Mais Clothilde médita longuement sur leur conversation. La perspective d'être aimée de Tristan ne lui était pas déplaisante. Demeuraient tout de même les réticences du jeune homme à l'épouser.

Elle en ignorait toujours l'origine. Aussi se promit-elle d'aborder le sujet le soir même, dans leur chambre.

Sans prévenir, quelqu'un avait fait porter toutes les affaires de Clothilde dans la chambre de Tristan, sauf ses animaux familiers, qui restaient en compagnie de Jeanne. Était-ce sur ordre de Tristan ou les serviteurs avaient-ils hésité à manipuler le loup et le faucon ?

Quand Clothilde se retira pour la nuit, Tristan n'était pas encore monté. Elle n'oubliait pas les termes de leur accord. D'ailleurs, c'était Tristan qui était en colère, pas elle. Il entra dans la pièce la mine renfrognée, sans dire un mot.

Comment pouvait-il l'ignorer ainsi ? Dans ce cas, autant poser sa question tout de suite en espérant ne pas le contrarier.

Elle s'approcha de lui et lui tapota l'épaule, attendant qu'il se retourne. Le jeune homme leva les sourcils. Clothilde eut l'impression qu'il s'attendait à des excuses.

Pour lui avoir fait avouer qu'il avait menti ? Elle se retint de rire.

— J'aimerais continuer notre conversation, déclara-t-elle.

— Le sujet est clos.

— Pour toi, peut-être, mais un détail me tracasse. S'il n'y avait pas d'autre femme... non, ne m'interromps pas ! S'il n'y avait pas d'autre femme, pourquoi es-tu arrivé à Dunburgh dans un tel état de fureur contre moi ? Et ne le nie pas : tu n'avais aucune envie de m'épouser.

— Sans doute gardais-je de toi un souvenir négatif, celui d'une petite peste capricieuse et dénuée de toute féminité. J'avais peut-être une autre femme en tête, bien que je ne sois pas amoureux d'elle.

Clothilde aurait dû se contenter de cette explication, qui n'avait plus grande importance, à présent. Mais cette description d'elle-même ne lui plaisait guère. Toutefois, elle pensa à sa promesse de la veille.

Elle prit donc Tristan par la main et l'entraîna hors de la chambre.

— Qu'est-ce que tu fabriques ? lui demanda-t-il.

— Je voudrais sortir d'ici pour conclure cette discussion.

Comprenant ses intentions, il se mit à rire et l'attira dans ses bras.

— Je ne pense pas.

Elle voulut se dégager de son étreinte, mais n'insista pas. En réalité, elle n'avait aucune envie de quitter ces bras rassurants et rougit en songeant à leur nuit de noces.

— Notre accord n'est valable que pour mes colères, alors ? fit-elle.

— Non. Et je te remercie de me le signaler. Mon agacement était stupide.

Il prit son visage dans ses mains et effleura ses lèvres d'un baiser.

— J'espère que tu es de mon avis.

— À quel propos ? demanda-t-elle dans un souffle.

— Loin de moi l'idée de te le rappeler…

# 49

Le surlendemain du mariage, tous les invités étaient partis. Le comte avait décidé de s'attarder encore quelques jours. Cette décision n'aurait pas contrarié Clothilde le moins du monde si les mesures de sécurité avaient été levées. Or, la jeune femme était toujours sous bonne garde, même si, selon elle, les déclarations du roi avaient dissipé les derniers doutes. Mais son mari ne partageait pas son assurance.

Clothilde venait d'apprendre que, en l'absence de lady Anne, elle devrait rester enfermée dans ses appartements. Dans la matinée, elle avait cherché à quitter le donjon pour faire ses adieux à Roland et à ses parents. Tristan se trouvait déjà dans la cour, sans doute en compagnie de sa mère. Mais les gardes avaient aussitôt raccompagné la jeune femme chez elle pour l'enfermer.

Dans l'après-midi, le jeune couple se retrouva au coin du feu, à l'écart de lady Anne et de ses amies, de sorte qu'ils pouvaient parler librement sans être entendus.

Clothilde était trop énervée pour se contenir plus longtemps et continuer à faire la conversation comme si de rien n'était.

— Pourquoi n'ai-je même pas eu le droit de saluer Roland, ce matin ?

— N'as-tu pas passé une bonne partie de la journée d'hier en sa compagnie ? répondit Tristan.

Il semblait un peu contrarié, ce dont la jeune femme ne tint pas compte.

— Ma plainte n'a rien à voir avec la courtoisie.

— Tu as eu le temps de lui faire tes adieux avant qu'il ne quitte la grande salle.

Clothilde serra les dents. Tristan faisait mine de ne pas saisir le fond du problème.

— Je suis arrivée trop tard. Mais qu'importe. J'aurais aimé être là pour son départ. Mais je n'ai pas pu. Je me suis retrouvée emprisonnée dans le donjon. Pourquoi ces maudits gardes m'ont-ils jetée... ?

— Jetée ? l'interrompit Tristan.

— Disons qu'ils m'ont poussée à l'intérieur, corrigea Clothilde.

— Comment ? T'auraient-ils brutalisée ou manqué de respect de quelque façon ?

— Non. Je cherche simplement à te faire comprendre mon point de vue. Cesse de jouer sur les mots. C'est agaçant. Les gardes ont insisté ! Cela te convient ? Mais là n'est pas le plus important. Pourquoi suis-je encore enfermée ? Nous sommes mariés, à présent. Je ne risque plus rien.

— Le danger subsiste tant que je n'en ai pas décidé autrement, répliqua-t-il d'un ton sec. Tant que nous aurons des visiteurs, il me sera impossible de vérifier l'identité de tous.

— Et que se passera-t-il plus tard, quand nous recevrons de nouveaux invités ? À moins que tu n'aies pas encore réfléchi à la question. Suis-je condamnée à la prison à vie ?

— Pourquoi t'entêtes-tu de la sorte ? Je ne cherche qu'à te protéger.

— Je n'ai plus besoin de protection ! Permets-moi de juger du danger qui me menace.

Dans sa colère, elle avait touché un point sensible. Les yeux bleus de Tristan se durcirent. Il crispa la mâchoire.

— Parfois, j'ai l'impression que tu me provoques dans le seul but d'attirer ma colère et de pouvoir ainsi me détester davantage. Cette fois, tu n'as que ce que tu mérites.

Il la prit par la main sans lui laisser le temps de répondre et l'entraîna hors de la pièce, en direction de leur chambre. Il referma la porte avec soin. Clothilde ne résista pas, trop ébahie par l'effet que pouvait produire sur lui une simple phrase. Pourtant, elle savait qu'ils en arriveraient là un jour ou l'autre et qu'elle le mépriserait à jamais. Que pouvait-elle attendre de ce sauvage ? Mais si tôt après le mariage…

Ils étaient debout au milieu de la pièce. Tristan la tenait encore par la main, la fixant d'un regard énigmatique. La jeune femme se raidit.

— Qu'attends-tu pour me corriger ? demanda-t-elle sans obtenir de réponse. Tu ne me frappes pas ?

Tristan ne dit rien, puis il poussa un soupir.

— Je ne peux pas.

— Pourquoi ?

— Je préférerais me couper la main plutôt que de te faire le moindre mal.

La jeune femme le dévisagea, les yeux écarquillés, puis elle fondit en larmes. Ces paroles sincères l'avaient touchée en plein cœur. Jamais elle n'aurait cru Tristan capable d'une telle douceur.

— En pensais-tu autant quand tu étais plus jeune ? demanda-t-elle d'une petite voix tremblante.

— Mes sentiments étaient les mêmes. Jamais je ne t'ai frappée, Clothilde. Un jour, j'ai même subi une cruelle punition pour éviter de te faire du mal.

Elle fronça les sourcils en s'essuyant les yeux.

— Quand ? demanda-t-elle, sans se soucier de ses larmes. Nous ne nous sommes rencontrés qu'une seule fois dans mon enfance.

— Certes. Et ce fut un souvenir marquant pour nous deux. Je te demande pardon d'avoir tué ton faucon, ce jour-là. Je viens seulement de l'apprendre de la bouche de ma mère. Jusqu'à maintenant, j'ignorais la mort de l'oiseau. D'ailleurs, je n'avais aucune intention de le tuer. J'ai simplement cherché à me défendre quand tu l'as lancé sur moi.

Tristan s'excusait d'avoir tué le rapace, mais pas de la blessure qu'il lui avait infligée au pied. Sans doute n'était-il pas au courant de cela non plus. Seule Jeanne savait. Pourtant, l'adolescent l'avait bousculée brutalement avant de s'enfuir.

— Je n'ai pas lancé Rhiska sur toi, corrigea-t-elle d'un ton où perçait l'amertume.

— Mais si.

— Non. J'ai voulu le poser sur son perchoir afin d'appeler un garde, car tu refusais de partir. Il t'a attaqué de lui-même. Il faut savoir qu'il était à peine apprivoisé. J'ai voulu l'éloigner de toi, mais tu as été plus prompt à réagir.

— Je ne pensais pas l'avoir tué. Sinon, je me serais excusé aussitôt. J'ai pensé que tu m'en voulais. À moins que ce ne soit parce que tu refusais l'idée de notre mariage. Pourquoi étais-tu dans une telle rage ?

Ces souvenirs étaient douloureux, mais Clothilde décida de répondre à sa question.

— Cette semaine-là, expliqua-t-elle, un villageois avait battu sa femme à mort. Les gens disaient qu'elle l'avait mérité, que cela n'avait pas d'importance, qu'il n'avait plus personne pour lui préparer à manger. Elle était morte, alors il devait se préparer à manger lui-même, le pauvre homme.

— Les vilains n'ont pas les mêmes préoccupations que nous, déclara Tristan. Ni les mêmes priorités.

— Peut-être, mais ces réactions m'ont choquée. Ce jour-là, je me suis juré de ne jamais me marier. J'ignorais que j'étais fiancée depuis ma naissance. Et tu es arrivé, te présentant comme mon futur époux.

— Je comprends ta colère. Je te croyais au courant, puisque je l'étais.

— Mon père était encore sous le coup de la mort de ma mère. Il ne m'a rien dit. Il ne m'en a parlé que deux ans plus tard. Et j'ai attendu deux années de plus pour connaître ton identité. Lors de notre rencontre, tu n'étais qu'un étranger sur mon territoire, qui m'a dit qu'il allait m'épouser, qui a tué mon faucon et qui m'a donné…

Elle s'interrompit, incapable d'aller plus loin. Elle s'en voulut de sa faiblesse.

— Je t'ai donné quoi ?

Clothilde ne put se retenir plus longtemps.

— Tu m'as fait souffrir le martyre pendant des semaines. J'ai cru devenir infirme !

— Infirme ?

— En me repoussant, tu n'as pas remarqué ma chute. Tu es parti.

— Quelle chute ?

— En tombant, je me suis brisé la cheville. J'ai dû remettre l'os en place moi-même. Je ne me rendais même pas compte de ce que je faisais, tant j'avais peur d'être infirme. J'étais incapable de pleurer, de crier.

Son mari la prit dans ses bras et la serra contre lui. Elle eut le temps de remarquer son visage livide.

— Seigneur… murmura-t-il d'une voix rauque. Comme tu as dû me haïr. Mais je n'avais pas le choix. Il fallait que j'échappe à ta rage. Je n'ai jamais cherché à te faire du mal.

— Ne me dis pas que tu te sentais menacé par une enfant de six ans. J'étais peut-être ivre de douleur, mais tu étais plus grand et plus fort que moi. Étais-tu obligé de me repousser aussi violemment ?

— Je ne m'en suis pas rendu compte tout de suite, car tu m'avais frappé dans le bas-ventre, m'infligeant une douleur atroce. Ton faucon m'avait aussi arraché un lambeau de chair. Tu veux voir la cicatrice ? Je ne pouvais te retenir par la main. J'étais plié en deux tandis que tu me griffais le visage. J'étais en sang. Il fallait que je me libère de ton emprise, je n'avais pas le choix. Au lieu de te frapper, ce qui aurait été la solution la plus facile, j'ai préféré te repousser pour éviter de te faire mal. Je suis désolé que mon geste ait eu l'effet inverse.

Clothilde ne dit rien, cherchant à imaginer la scène. Soudain, elle sut sans l'ombre d'un doute qu'il ne mentait pas. Il s'agissait d'un regrettable accident.

Tristan la serrait si fort qu'elle parvenait à peine à respirer. Il était encore plus bouleversé qu'elle. Elle eut envie de le consoler. C'était hors de question, cependant...

— Je t'ai infligé tout cela ? s'enquit-elle.

— Oui.

— Tant mieux.

Il se figea et s'écarta d'elle pour la dévisager. Très vite, il se mit à rire. Elle l'imita sans savoir pourquoi.

Elle sentit sa gorge se nouer. Désormais, ce souvenir funeste ne la ferait plus jamais souffrir, grâce à Tristan. Quelle ironie du sort...

# 50

— Prends ton arc.

Clothilde se tourna vers Tristan pour voir à qui il s'adressait. Ce ne pouvait être à elle, pourtant, il la regardait. Elle se demanda si elle avait bien compris ses paroles.

— Pourquoi ? Tu veux en faire du petit-bois ? Je ne te le conseille pas.

— J'ai envie de chasser, répondit-il, amusé par son incrédulité. Peut-être aimerais-tu m'accompagner ?

Clothilde le fixa, subjuguée. Ils venaient de terminer leur dîner, assis à la longue table du seigneur. Les autres convives s'étaient retirés depuis longtemps. Tristan semblait d'humeur joviale, ce jour-là, car leur conversation de la veille avait permis d'assainir leur relation. Depuis, il ne quittait pas la jeune femme d'une semelle, et elle ne s'en plaignait pas.

Clothilde en était encore à analyser cette discussion. Tout à son étonnement de ne plus en vouloir à son mari, elle n'avait pas considéré toutes les conséquences de la situation. Certes, elle avait encore quelques petits reproches à lui adresser, mais ils étaient mineurs. En outre, elle se réjouissait d'apprécier enfin sa compagnie, sa façon de la taquiner sans cesse, de la…

— Tu ne plaisantes pas ? demanda-t-elle. Tu sais chasser à l'arc ?

— Pourquoi ne le saurais-je pas ?

— Parce que la chasse au faucon est considérée comme la meilleure depuis longtemps. La plupart des seigneurs sont incapables de manier un arc.

— Je t'assure que je ne fais pas partie de ceux-là. En vérité, je préfère utiliser mes propres talents. Et j'en possède certains outre le maniement du glaive.

— Le tir à l'arc, entre autres ?

— En effet. Alors, qu'attends-tu ? Et surtout habille-toi en conséquence.

Tristan était en train de lui conseiller de porter des chausses ! Clothilde n'en croyait pas ses oreilles. Mais elle n'allait pas lui donner la possibilité de changer d'avis. Elle s'éloignait si précipitamment qu'elle faillit trébucher. La main de Tristan l'empêcha de tomber.

Tristan ne rit pas, comme Clothilde s'y attendait, mais elle entendit rire son père. Peut-être était-ce Guy qui avait conseillé à son fils de l'emmener à la chasse ? Qu'importe qui en avait eu l'idée, après tout.

Dans l'escalier, elle faillit bousculer Jeanne. Elle la prit aussitôt par la main et l'entraîna, impatiente de lui faire partager son enthousiasme.

— Quelle mouche t'a piquée ? s'enquit Jeanne, une fois dans la chambre. Aurais-tu perdu la raison ?

Clothilde se mit à fouiller ses malles.

— Tristan m'emmène à la chasse ! répondit-elle.

— Et alors ?

— Je redoutais de ne plus jamais avoir l'occasion de chasser, du moins à ma façon. Nous sommes mariés depuis deux jours à peine, et Tristan m'emmène déjà à la chasse ! Que dois-je en penser ?

— Tu ne le vois donc pas ? fit sa sœur, les yeux pétillants. Moi si.

Le sourire aux lèvres, Clothilde ôta vite son pesant bliaud et sa tunique.

— Tu me l'avais bien dit, n'est-ce pas ? Jeanne, pourquoi faut-il que tu aies toujours raison ? Et que tu t'en vantes ?

— Je ne me vante pas, protesta la jeune femme. Tu es certaine de vouloir enfiler ces horribles chausses ?

— Oui. Tristan me l'a ordonné !

Jeanne vint aider sa sœur à trouver une tunique ample.

— Ton mari t'a-t-il enfin déclaré son amour ? demanda-t-elle soudain.

— Pas encore.

— Cela viendra peut-être aujourd'hui.

— Tu crois ?

— N'oublie pas que j'ai toujours raison.

Clothilde sourit et embrassa sa sœur. Puis elle saisit son arc et son carquois et fila d'un pas léger.

— Attends ! lança Jeanne. Tu as oublié ta cape. Nous sommes en plein hiver, au cas où tu ne l'aurais pas remarqué.

Mais Clothilde ne se retourna pas.

— Tant pis, murmura Jeanne. Tristan ne te laissera pas prendre froid.


Clothilde n'avait pas été aussi heureuse depuis des années. Elle ne pouvait dissimuler son bonheur. Quant à Tristan, il se réjouissait d'en être l'origine.

Un mois plus tôt, lors de son arrivée à Dunburgh, sa fiancée avait été anéantie. À présent, une fois mariée, elle ne se plaignait plus de rien. Au contraire ; elle affichait une mine radieuse ! Tristan faisait de son mieux pour la satisfaire. Mais était-il amoureux d'elle ? Elle tendait à le penser. Il ne lui manquait plus qu'à l'entendre de sa bouche. Devrait-elle mentir et lui répondre la même chose pour lui faire plaisir ?

Elle avait besoin qu'il soit amoureux d'elle pour obtenir une plus grande liberté. Quant à ses propres sentiments... certes, elle était heureuse et ne pouvait le nier. Cela suffirait-il à Tristan ? Exigerait-il de l'amour en retour ? Qu'importe, du moment qu'ils vivaient en harmonie.

Elle marcha devant lui à travers bois. Ils avaient laissé les chevaux dans une clairière. Tristan surprit la jeune femme par la discrétion de ses pas. Il faisait si peu de bruit qu'il ne risquait pas d'effrayer les proies éventuelles. Soudain, elle entendit une flèche siffler.

En se retournant, elle vit Tristan baisser son arc. Un faisan gisait à terre.

— Superbe ! commenta-t-elle en rejoignant son mari. Il sera délicieux rôti.

Il hocha la tête et glissa le gibier dans un sac.

— La prochaine fois, nous viendrons accompagnés d'un serviteur. Rien de tel que le gibier rôti au feu de bois.

La prochaine fois...

Elle eut envie de l'embrasser tant elle était heureuse. Puis elle se rendit compte que rien ne l'empêchait de le faire, alors elle ne s'en priva pas.

Aussitôt, il l'étreignit. Le gibier tomba à terre, suivi de l'arc. Puis il regarda Clothilde avec une infinie tendresse en lui caressant la joue.

— Tu m'aimes ? demanda-t-elle, émerveillée.

— Tu as mis bien longtemps à le comprendre.

— En effet, avoua-t-elle en rougissant. J'avais l'esprit ailleurs.

— Espérons que tu te concentreras sur des sujets importants, désormais, comme ceci, par exemple.

Il l'embrassa encore. Leurs corps s'embrasèrent en un instant.

Soudain un choc terrible l'ébranla, puis elle sentit Tristan, l'entraînant dans sa chute, lui coupant le souffle.

Il ne bougeait plus. Des gouttes de sang coulèrent sur le cou de la jeune femme.

Elle se mit à hurler. Le corps de Tristan fut soulevé et jeté un peu plus loin. D'une poigne de fer, un homme la fit lever sans ménagements. Tristan était pâle, il semblait ne plus respirer. Son agresseur tenait encore un gourdin à la main.

— Vous êtes fou ! lui lança-t-elle, horrifiée.

— Non, dit l'homme avec un sourire sadique. J'ai de la chance. Venez, madame, cela fait longtemps que je vous attends.

# 51

Clothilde ignorait où l'inconnu l'avait emmenée. Aveuglée par les larmes, les mains liées derrière le dos, elle se retrouva dans une chaumière.

Cette cachette se trouvait-elle en plein village ou dans les bois ? Elle était incapable d'en juger. Elle découvrit la présence d'un couple âgé. La femme, qui avait été sévèrement battue, gisait dans un coin, à même le sol. Son mari était indemne mais mort de terreur, à ses côtés.

D'après les bribes de conversation qu'elle put saisir, Clothilde comprit que l'on avait frappé cette malheureuse pour obliger le paysan à coopérer et à affirmer que tout allait bien en cas de visite inopportune.

Cependant, les vieillards et la jeune femme n'étaient pas seuls dans la pièce. Outre l'inconnu qui l'avait amenée, il y avait deux autres hommes et la créature qu'elle avait prise pour une prostituée, celle qu'elle soupçonnait d'avoir séduit Tristan.

— Enfin ! s'était exclamée cette dernière en voyant arriver Clothilde. À présent, je peux retourner à Londres ? Je n'ai servi à rien au château, car le seigneur s'est méfié de ma présence.

— Tu te sous-estimes, Helen. Tu as de nombreux talents en dehors de ceux d'empoisonneuse, répondit l'un des hommes.

— C'est vrai, Geoffroy, mais ils ne semblent guère t'intéresser, déplora-t-elle.

— Mes deux amis sont quant à eux très satisfaits de tes services, ma belle. Il semblerait que tu les aies bien distraits en nous attendant.

— En effet, déclara l'un des intéressés en essayant d'attirer Helen une nouvelle fois sur ses genoux.

Mais elle le repoussa vivement.

— Très bien, reprit Geoffroy. Tu peux t'en aller. Prends garde à ne pas être reconnue.

— Comme si j'avais envie de revoir ce maudit seigneur. Pourtant, j'avais bien préparé mon coup, mais dès qu'il a commencé à m'interroger, j'ai su que j'étais perdue. J'ai eu de la chance de sauver ma peau. Les gens sont trop méfiants, dans ce château.

— Grand bien leur fasse ! s'exclama Geoffroy. Ils ont à présent perdu leur bien le plus précieux.

— Notre patience est récompensée, renchérit le troisième larron. Comme d'habitude, tu avais raison.

— Notre patience et notre vigilance, intervint son complice. Où as-tu déniché cette mégère ? Elle était encore partie à la chasse, je parie ?

— En effet.

Il eut un sifflement admiratif.

— Je ne pensais pas qu'elle pousserait la stupidité et l'inconscience aussi loin.

— En réalité, elle n'était pas seule, cette fois, précisa Geoffroy.

— Ah bon ? Elle n'est donc pas si bête ! s'exclama un des brigands.

— J'ai cru qu'elle s'était enfuie, comme la dernière fois, expliqua Geoffroy. Après tout, si elle avait réussi à s'échapper une fois, elle pouvait recommencer. C'est d'ailleurs pourquoi je n'ai pas cessé de surveiller la grille du château. Je les ai croisés en me rendant à mon poste d'observation.

Personne ne se souciait de celui qui l'accompagnait, comme s'il allait de soi que Geoffroy lui avait réglé son compte.

Des larmes de chagrin coulèrent sur les joues de la jeune femme. Tristan était-il mort ? Si seulement elle avait eu le temps de le voir une dernière fois. À présent, elle redoutait le pire. Il semblait grièvement blessé.

Une douleur indicible la rongeait. Elle se rendait compte qu'elle l'aimait, mais trop tard. Si seulement elle le lui avait dit, si seulement il l'avait su avant de… elle se mordit les lèvres, incapable de contenir d'amers sanglots.

— Si tu cries, tu risques de le regretter, car je te couperai la langue. Je préférerais toutefois ne pas avoir à en arriver là. Tu m'as bien compris ? lui souffla Geoffroy.

Puis il lui ôta son bâillon. Il lui avait déjà détaché les poignets en arrivant.

Clothilde ne répondit pas. Si elle croyait pouvoir appeler à l'aide, elle crierait en dépit de ses menaces. Mais elle se garda d'exprimer ses pensées à voix haute.

Elle se tourna vers lui. Sous le choc de l'agression, elle n'avait pas remarqué les traits de son visage.

À sa grande surprise, c'était un homme grand et séduisant. Après tout, les tueurs n'avaient pas de profil particulier.

Ses deux complices étaient des rustres trapus et barbus. Des mercenaires, sans doute. Ils plaisantaient sans cesse, contrairement à leur chef, qui paraissait implacable.

C'était manifestement un être dénué de scrupules, capable de tuer, de violer sans états d'âme, ce qui faisait de lui un homme plus dangereux que ses complices.

Assis à une table bancale, au milieu de la pièce, ces derniers avaient toisé la jeune femme avec un intérêt non dissimulé. Le vieil homme, lui, n'osait la regarder. Quant à Helen, elle préparait ses bagages. Ainsi, cette créature de mauvaise vie avait été chargée de l'empoisonner ? Tristan ne s'était pas trompé.

Clothilde ne comprenait pas pourquoi ces brigands s'en prenaient à elle, maintenant qu'elle était mariée. Aurait-elle mal interprété les paroles du roi Jean ? À moins que le souverain n'ait pas eu le temps de les avertir... Dans ce cas, Tristan serait mort pour rien.

— J'ai l'impression que vous vous fourvoyez, déclara-t-elle d'une voix rauque.

— Vraiment ? fit Geoffroy avec un sourire cruel. Je ne me trompe jamais.

— Cette fois, c'est le cas, insista-t-elle. N'êtes-vous pas au courant que le roi a cessé ses poursuites ? Il ne me veut plus aucun mal.

Geoffroy se contenta de hausser les épaules d'un air indifférent.

— Nous ne travaillons pas pour le roi.

— Alors pour qui ?

— Pour moi, fit une voix inconnue.

# 52

D'après son allure, l'homme était un seigneur ou un riche marchand : chevalières et chaînes en or, fines chausses en laine, tunique en velours épais. Il se tenait fièrement sur le seuil de la chaumière, comme s'il s'attendait à voir les autres s'incliner respectueusement devant lui. Il lança un regard noir à Clothilde.

— Roghton ! lança Geoffroy avec un mépris évident. Comment faites-vous pour nous retrouver à chaque fois ?

Le seigneur se raidit.

— Pourquoi ? Vous vous cachiez ?

— Oui.

Roghton rougit de colère, furieux d'être ainsi bafoué par un valet en présence de la jeune femme, qui n'en croyait pas ses oreilles.

— Comment comptiez-vous être payé si vous me fuyez ? demanda-t-il.

— En allant vous voir, sans doute, railla Geoffroy. Comment se fait-il que vous vous présentiez juste au moment où nous tenons enfin la fille ?

— Figurez-vous que je vous surveillais, car vous tardiez quelque peu à remplir votre mission.

Ce fut au tour de Geoffroy de s'empourprer, mais Clothilde ne comprit pas en quoi le seigneur l'avait insulté. Puis, une idée lui vint...

— Aviez-vous un délai imparti pour me capturer ? demanda-t-elle avec assurance, bien qu'elle n'attendît guère de réponse de la part de ses geôliers. Vous pourriez au moins m'expliquer ce dont il s'agit.

Le seigneur décida d'ignorer sa victime car elle allait mourir. Toute explication était superflue.

— La dame mérite de savoir, intervint Geoffroy. D'ailleurs, je serais curieux de connaître vos propres motivations, sir Walter, alors répondez.

Jamais Clothilde n'avait vu un noble se faire traiter de la sorte par un simple mercenaire. Pourtant, la voix de Geoffroy contenait un soupçon de menace.

— Comment se fait-il qu'elle soit encore en vie ? interrogea Roghton.

En voyant Geoffroy sortir son poignard, Clothilde se sentit défaillir. Toutefois, la lame effilée ne lui était pas destinée, du moins pas dans l'immédiat, car Geoffroy entreprit de se curer un ongle avec application. Puis il fixa Roghton.

Le seigneur finit par répondre à la question, fusillant la jeune femme du regard.

— Vous auriez dû mourir avant votre mariage. Les Crispin n'auraient jamais dû s'allier avec les Thorpe.

— Parce que le roi Jean s'y opposait ? s'enquit-elle. Ainsi, il serait bien à l'origine de toute cette histoire ? Vous, vous n'êtes qu'un exécutant...

Clothilde n'aurait pas dû insulter Roghton. Ses paroles moqueuses amusèrent Geoffroy, ce qui ne fit qu'accroître la colère de Roghton. La haine entre les deux hommes était palpable. Pourtant, l'un travaillait pour l'autre.

— Non, c'est mon idée, répondit Roghton. Mais j'avais l'accord tacite du roi. Il aurait ensuite proposé ma fille en mariage au fils de Shefford.

— Je vous rappelle que le mariage a eu lieu, déclara Clothilde. Vous arrivez trop tard.

— Non. Tout n'est pas perdu. Le jeune Thorpe va avoir besoin d'une nouvelle épouse quand vous serez morte. Le roi aura peut-être la bienveillance de recommander ma fille.

Clothilde secoua la tête, incrédule. En outre, le roi avait changé d'avis.

— Vous vous faites des idées, insista-t-elle. Vous apprendrez vite que le roi ne vous soutient plus. À présent, il est favorable à mon mariage, comme il l'a confirmé à nos pères respectifs. Il a même chargé un homme d'annuler ses ordres auprès de mes poursuivants. Ainsi, vous seriez celui qu'il recherche.

— Vous mentez, sale garce, grommela Walter en serrant les dents.

Mais la jeune femme lisait le doute dans son regard.

— Vous croyez ? Comment réagira le roi en apprenant que vous lui avez désobéi ? Vous espérez vivre encore longtemps ? Il vous est donc si difficile de trouver un mari pour votre fille, au point que vous êtes obligé de tuer pour cela ?

Cette insulte le toucha de plein fouet.

— Ce n'est pas le seul problème ! rugit-il, hors de lui. Anne m'était destinée. J'ai passé des mois à la courtiser. Sa fortune colossale aurait dû me revenir. Mais c'est Thorpe qui a remporté la mise.

— Je vois. Vous en voulez à sa richesse, car vous êtes incapable de faire fortune par vous-même.

Ce fut la goutte d'eau qui fit déborder le vase. Walter gifla Clothilde. Quelle importance, maintenant que Tristan était mort ? Cet arrogant ignorait sans doute que son homme de main avait éliminé le gendre qu'il se destinait.

Elle mourait d'envie de lui lancer à la face que son plan avait échoué. Mais elle n'eut pas l'occasion de parler. Contrarié par l'attitude du seigneur, Geoffroy lui fit faire volte-face avant de lui planter son poignard dans le ventre. Son beau visage ne reflétait pas la moindre émotion.

Ses complices semblaient moins indifférents devant ce macabre spectacle. Ils se levèrent d'un bond, horrifiés.

— Tu es fou ? s'exclamèrent-ils à l'unisson.

— Absolument pas, leur répondit Geoffroy avec un calme olympien.

Il essuya son poignard sur la tunique de sa victime et le rangea dans sa botte.

— Tu viens de tuer l'homme qui nous paie ! s'exclama un de ses complices.

— C'est un seigneur ! renchérit l'autre.

— Qui va nous payer, à présent ?

— C'est vrai, ça ! Tu aurais pu attendre d'avoir empoché l'argent.

— Geoffroy, tu as perdu la tête ? fit la voix de Helen. Ses hommes vont te pourchasser.

— Comment sauront-ils ce qui est arrivé à ce bâtard ? répondit Geoffroy en riant. Tu crois que quelqu'un va aller raconter cette histoire ?

Clothilde eut soudain les mains moites. Ces paroles venaient de signer l'arrêt de mort des deux vieillards, et le sien. Quant à ses complices, ils ne diraient rien, car ils le redoutaient.

— Mais notre argent ? grommela l'un d'eux. Un mois de travail pour rien !

— Assez de jérémiades, conclut Geoffroy. Je vous réglerai moi-même. En fait, je n'ai plus besoin de votre aide. Alors retournez à Londres. Emmenez Helen et débarrassez-vous du cadavre en chemin.

272

Les deux hommes se calmèrent. Pressée de partir, Helen franchissait déjà le seuil. Un brigand transporta Roghton tandis que l'autre dévorait Clothilde des yeux :

— Je peux prendre la garce ? Au moins une fois ? demanda-t-il à son chef. Après tout, elle m'a blessé de ses flèches.

— Non. Nul ne fera couler le sang à part moi. Maintenant partez. Je vous retrouverai à Londres. Ne craignez rien, elle paiera pour les blessures qu'elle a infligées.

Son complice parut s'en satisfaire. La porte se referma. Geoffroy porta son attention sur la jeune femme. Blotti contre sa femme, le vieillard tremblait de peur, attendant une mort certaine. Mais les yeux de Geoffroy étaient rivés sur Clothilde.

La jeune femme blêmit, le souffle court. Si seulement elle pouvait le raisonner. Mais ce monstre sanguinaire était sans scrupules. Il n'y avait aucun espoir...

# 53

Le silence pesant qui régnait dans la pièce alarma la jeune femme. Geoffroy se contentait de la fixer d'un regard brûlant de désir. Clothilde sut qu'elle se mettrait à crier d'effroi au moindre de ses mouvements. De toute façon, cette épreuve était venue à bout de ses dernières ressources.

— Cela fait si longtemps que j'attends ce moment, ma belle… susurra-t-il.

Geoffroy paraissait satisfait de la tournure des événements. Quant à Clothilde, elle était presque soulagée d'entrevoir la fin de ses tourments.

— Vous semblez prendre un certain plaisir à tuer les gens, répliqua-t-elle.

— Vous tuer ? répéta-t-il, surpris. Que non. J'aurais pu vous tuer des dizaines de fois, ma belle. J'ai préféré vous laisser la vie sauve.

— Pourquoi ?

— D'après vous, chère enfant ? Parce que je tiens d'abord à goûter vos charmes. Voilà pourquoi.

Clothilde crut défaillir. Ainsi, Geoffroy comptait la tuer après l'avoir violée. Pourtant, avec la mort de Walter, il n'avait plus aucune raison de l'éliminer. Rassemblant son courage, elle tenta une dernière diversion.

— J'aurais volontiers étripé ce bâtard de Roghton moi-même, déclara-t-elle. Je vous remercie de vous en être chargé, aussi je n'en parlerai à personne. Dans ce cas, pourquoi devrais-je mourir, moi aussi ?

— Je vais réfléchir à la question. Il se trouve que je finis toujours ce que j'entreprends. Bien sûr, Roghton n'est plus en mesure de me payer… Oui, je vais devoir y réfléchir. Mais rien ne presse… Cela fait trop longtemps que je pense à vous. Peut-être me contenterai-je de vous prendre une seule fois…

Sans Tristan, autant mourir. Geoffroy était peut-être un bel homme, mais, après la tendresse de son mari, elle ne supportait pas l'idée qu'un autre que lui l'approche, surtout cet assassin sanguinaire.

Lorsqu'il fit un pas vers elle, elle ne cria pas. Il fallait le faire parler. Non pas pour retarder l'inévitable, mais pour lui faire changer d'avis. Un mot, une phrase, elle ne savait pas comment, mais elle se devait d'essayer jusqu'au bout pour sauver sa vertu.

— Votre complice a affirmé que je les avais blessés, lui et son compagnon. À quelle occasion ?

Geoffroy se frotta l'épaule en souriant. Il ne ressemblait guère à un assassin lorsqu'il souriait ainsi.

— Ce sont pourtant vos flèches qui nous ont touchés. Vous ne vous rappelez pas ?

— Ah si.

— Vous possédez un don évident pour le tir à l'arc. Alors pourquoi nous avoir blessés au lieu de nous tuer ? C'était stupide de votre part.

— J'ai cru avoir affaire à une patrouille de Shefford, avoua-t-elle.

— À la bonne heure ! Nous n'étions pas préparés à cette attaque. Certaines blessures sont méritées…

— Vous teniez à me châtier pour cet incident ? s'enquit-elle d'un ton amer.

— Non. Les blessures cicatrisent, pas les cadavres. Je me réjouis de votre stupidité.

Elle saisit l'occasion qu'elle attendait.

— Si vous m'êtes reconnaissant, accordez-moi une faveur. Laissez-moi partir.

Il s'esclaffa, anéantissant ses derniers espoirs de survie.

— Je vous ai déjà rendu un grand service. Vous êtes vivante, non ?

— Je préférerais mourir ! lança-t-elle. Vous avez tué mon mari ! Je n'ai plus de raison de vivre. Alors finissons-en, voulez-vous.

Il passa un doigt sur sa joue, impassible.

— Je veux sentir votre chair frémissante sous ma peau, ma belle. Déshabillez-vous.

Elle écarta vivement sa main.

— Ne comptez pas sur ma coopération.

Il haussa les épaules et sortit son poignard.

— Très bien, dit-il. Qu'importe, du moment que je vous possède.

Elle aurait dû reculer quand elle en avait l'occasion. Geoffroy était trop proche, trop rapide. Il posa la lame de son poignard sur la gorge de la jeune femme et se plaqua contre elle. Elle réprima un cri d'effroi. Elle voulut même aller vers la lame pour mourir plus vite, mais Geoffroy s'en servit pour lacérer sa tunique.

Le tissu céda facilement. Clothilde entendit un bruit étrange, tel un grattement.

Geoffroy la relâcha soudain, fixant la porte. Elle perçut alors clairement le bruit des griffes d'un animal contre le panneau de bois.

La porte s'ouvrit avec fracas. Le loup bondit avant que l'homme qui l'accompagnait n'entre dans la pièce. Il se dirigea droit sur l'agresseur de la jeune femme, montrant ses crocs impressionnants.

— Rappelle-le, Clothilde ! lança la voix de Tristan. Je veux le tuer de mes mains.

— Grognon !

Le loup vint aux pieds de sa maîtresse en jappant. Tristan n'était pas vêtu pour livrer bataille. Il était allé chercher son glaive et le loup pour se lancer à la recherche de sa femme. Il n'avait même pas pris la peine de panser sa tête blessée. Le sang coulait dans son cou, trempant sa tunique. Jamais Clothilde n'avait été aussi heureuse de le voir. Il était vivant !

Geoffroy semblait furieux de cette intrusion, mais il était très sûr de lui. Lâchant son poignard, il sortit son glaive pour affronter Tristan à armes égales.

— Encore vous, mon seigneur ! lança-t-il non sans familiarité.

— Rassurez-vous, ce sera notre dernière rencontre, assura Tristan.

Sur ces mots, Tristan chargea son adversaire. Leurs lames se croisèrent. Clothilde comprit à l'expression de son mari qu'il souffrait atrocement de sa blessure. De plus, le mercenaire était protégé par sa tenue de combat.

Les deux hommes étaient de la même taille et de force égale. Mais Tristan était un combattant hors pair et il parait tous les coups de Geoffroy. Très vite, Geoffroy fut blessé à plusieurs endroits et lorsqu'il vit Tristan se jeter sur lui, il sut que son heure avait sonné...

# 54

La chaumière n'était pas très éloignée du village. Elle était dissimulée des regards par de hauts buissons. C'était un poste d'observation et une cachette idéale pour les malfaiteurs.

Tristan emmena la vieille dame meurtrie et son mari au village, chez leur fille, qui promit de s'occuper d'eux après l'épreuve qu'ils avaient subie. Ensuite, le jeune couple mit un certain temps à regagner le château, car Tristan souffrait trop de sa blessure pour monter à cheval. Aussi marchèrent-ils main dans la main à travers bois. De temps à autre, Clothilde s'arrêtait pour enlacer son mari.

Encore émerveillée de le retrouver en vie, elle avait envie de partager avec lui ce bonheur indicible.

Au château, elle se précipita vers le donjon pour faire soigner Tristan au plus vite, chargeant Jeanne de recoudre sa plaie. Elle posta même un garde armé au pied des marches pour empêcher le médecin de Shefford de pénétrer dans la chambre. Clothilde regrettait de ne pouvoir soulager davantage son mari. Elle lui ôta doucement sa tunique et l'installa près du feu. Puis elle lui servit une coupe de vin et nettoya le sang qui avait coulé de sa plaie.

Dès qu'ils furent avertis de son retour, les parents du jeune homme surgirent, affolés, de même que son frère Bertrand et d'autres habitants du château. Bouleversée, lady Anne ne s'attarda pas à son chevet. Quant à lord Guy, il écouta avec attention le récit de son fils.

Clothilde ne cessait de répéter à sa sœur d'être douce et s'inquiétait de l'état du blessé. Agacée par son inquiétude excessive, Jeanne finit par chasser sa sœur de la pièce.

Dans un premier temps, Clothilde obéit, mais, n'y tenant plus, elle revint à la charge une minute plus tard. Chaque grimace de douleur de Tristan la rendait folle. Cherchant à se rassurer elle-même, elle s'agenouilla à ses pieds et l'enlaça.

C'est dans cette posture que lord Nigel les découvrit. Tristan avait la tête appuyée sur celle de Clothilde. Lord Crispin interrogea Jeanne du regard. Celle-ci semblait aussi étonnée que lui.

— J'ai mal au cœur, dit Clothilde.

— Moi aussi, avoua Tristan.

— Tu vois dans quel état tu le mets ! s'exclama Clothilde. Laisse-le donc tranquille ! Tu lui fais mal !

— Cette nausée l'aidera peut-être à oublier la douleur de l'aiguille, intervint Nigel en riant.

Les deux pères échangèrent un sourire entendu. Ils parlèrent quelques instants à voix basse. Jeanne devinait leur soulagement de voir le jeune couple enfin uni.

Lorsque Jeanne eut terminé de recoudre la plaie, Tristan ne tenait guère à se coucher au beau milieu de la journée. Toutefois, il accepta de garder le lit à condition que Clothilde l'y rejoigne. La jeune femme chassa aussitôt tout le monde de la chambre et se blottit contre lui, la tête sur son épaule.

Elle n'avait plus envie de parler de leurs mésaventures, même si Tristan ne savait pas tout. Il ne connaissait pas le rôle que Walter de Roghton avait joué dans cette histoire, car son cadavre avait disparu avant son irruption dans la chaumière.

Elle avait bien le temps de tout lui raconter. De plus, il était inutile de révéler à Anne que l'un de ses anciens soupirants avait failli tout anéantir par ambition.

— T'ai-je dit combien je t'aimais ? s'enquit-elle.

Clothilde était à présent détendue et rassurée. Dans la chambre régnait une douce chaleur. Malgré son courage et sa détermination, Tristan avait besoin de repos. En tout cas, elle avait acquis la certitude de pouvoir surmonter leurs problèmes, à l'avenir.

— Tu me l'as répété une centaine de fois au cours de notre marche dans la forêt.

— Pardonne-moi, mais c'est un sentiment nouveau pour moi, expliqua-t-elle.

— Pour moi aussi. Découvrons-le ensemble.

Elle l'embrassa tendrement dans le cou.

— J'ai envie d'un enfant, souffla-t-elle soudain.

Oubliant sa blessure, Tristan éclata de rire, puis gémit de douleur.

— Laissons faire la nature.

— S'il le faut vraiment, soupira-t-elle.

— Tu ne plaisantais pas ? Tu as vraiment envie d'avoir un enfant ?

— Oui. À condition qu'il te ressemble.

— Sinon, nous le rejetterons ! dit-il, taquin. Moi, je préférerais que ma fille te ressemble.

— Dans ce cas, nous aurons les deux, assura Clothilde.

— C'est vrai, nous aurons peut-être des jumeaux, conclut-il. Décidément, ce mariage me rapporte bien plus que je ne l'aurais parié.

— On ne parie pas sur des jumeaux, dit-elle. Ils viennent par surprise.

— Je pensais à notre amour.

— Ah...

Clothilde s'empourpra, folle de bonheur, et se blottit plus fort contre lui.

— Et si nous commencions tout de suite, murmura-t-il.

— Quoi ?

— À faire un bébé.

Elle se redressa vivement.

— Certainement pas. Il faut d'abord que tu guérisses. Tu ne dois fournir aucun effort tant que ta plaie n'est pas refermée.

— Qui parle d'effort ?

Elle faillit en rire, mais fit mine de s'indigner :

— Quand tu n'auras plus mal, peut-être…

— Mal ? Qui a dit que j'avais mal ?

Cette fois, elle rit franchement et l'embrassa avec tendresse. Puis elle quitta vite le lit de peur de céder à ses pulsions. Pour l'heure elle entendait le soigner. Plus tard, s'il se sentait mieux…

# AVENTURES & PASSIONS

## Jade Lee
### *Déshonneur et liberté*
Inédit

Du jour au lendemain, lady Helaine Talbott se retrouve déshonorée et ruinée. Décidée à faire face aux caprices du destin, elle change de nom et ouvre un atelier de couture. Séduit par la jeune fille, lord Redhill, le frère d'une de ses meilleures clientes, lui propose de devenir sa maîtresse. Jusqu'au jour où il découvre sa véritable identité…

✦

## Lisa Kleypas
### *Nulle autre que vous*
Inédit

Indigné par la vie dissolue de son fils, le comte de Rochester l'a déshérité. Pour amadouer son père mourant, Andrew décide de lui faire croire qu'il s'est amendé. Comment ? En courtisant une femme convenable. Sitôt la fortune de son père empochée, il mettra fin à cette mascarade. Le problème, c'est qu'il ne connaît pas de femme respectable, excepté peut-être Caroline Hargreaves.

✦

## Julia Quinn, Eloisa James, Connie Brockway
### *Trois mariages et cinq prétendants*
Inédit

Hugh Dunne, comte de Briarly, a besoin d'une épouse. Alors, sa sœur lui dresse la liste des plus belles célibataires de la saison. Comme Hugh refuse de se déplacer, elle les invite toutes à une partie de campagne. Laquelle d'entre elles fera chavirer le cœur de Hugh ? La magnifique Gwendolyne ? La réservée Katherine ? Ou bien une toute autre jeune femme?

## Johanna Lindsey
### *Apparence trompeuse*

Depuis qu'il a quitté New York pour l'Ouest, Damien va de surprise en surprise. C'est dans un salon que siège le tribunal, et le juge ne vaut guère mieux que les brigands. Pour du tapage nocturne, Damien écope d'une amende de cent dollars ! Et parce qu'il voyage avec Casey, le juge les forces à se marier, les accusant de vivre dans le péché. En quelques secondes, ils sont mariés !

◆

## Eloisa James
### *Les soeurs Essex - 2 - Embrasse-moi, Annabelle*

De son enfance désargentée, Annabelle Essex n'a que des mauvais souvenirs, et elle est prête à épouser n'importe quel aristocrate pourvu qu'il soit riche. Quand elle croise le comte d'Ardmore, elle est conquise. Il est très séduisant cet Highlander et, il embrasse divinement. Cependant, il n'a pas le sou. Aussi, elle lui refuse sa main. Mais le destin joue parfois des tours pendables.

◆

## Kris Kennedy
### *Le guerrier irlandais*

Irlande, 1295. Retenue prisonnière par le terrible lord Rardove, Senna de Valery remarque, un jour, la présence d'un mystérieux captif, Finian O'Melaghlin, noble irlandais. Pourquoi ne s'évaderaient-ils pas ensemble ? Poursuivis par lord Rardove et ses hommes, les deux fugitifs se lancent dans un périple à travers la lande sauvage, bravant le danger et la fièvre de la passion qui les dévore.

# BEST FRIEND

### Peggy Webb
***Un amour de dauphin***
*Inédit*

Paul, ex-chirurgien cardiaque réputé, n'a rien pu faire pour sauver son fils. Aujourd'hui, Il nourrit les dauphins dans un centre de recherches océaniques et noie son chagrin dans l'alcool. Il n'est plus qu'une épave lorsque Susan, une jeune veuve, fait son apparition au centre, avec son petit garçon muet et paralysé. Elle est persuadée que les dauphins pourront aider Jeffy à retrouver la parole.
Paul n'y croit pas une seconde.
Il constate pourtant l'effet bénéfique de ces séances sur Jeffy grâce à Fergie, un magnifique dauphin qui se prend d'affection pour l'enfant. Il ne peut rester indifférent à cette évidence. Pas plus qu'il ne peut rester indifférent au charme de la maman...

### Shirley Jump
***Une histoire de cœur***
*Inédit*

Après avoir appris l'animal thérapie avec son adorable bichon frisé, Miss Sadie, Olivia quitte tout sur un coup de tête pour se rendre en Floride. Sa mère, qu'elle ne connaissait pas, lui a légué sa maison. Pour Olivia qui a collectionné les échecs, quoi de mieux que de refaire sa vie au bord de l'océan ? Las. Elle tombe sur une ruine occupée par un seul habitant, un golden retriever étique et blessé qui s'enfuit à son approche. Elle le suit dans le jardin mitoyen et se heurte à 1m 90 de muscles : son voisin Luke. Très désagréable.
On le serait à moins. Luke à moitié aveugle après un accident, en veut à la terre entière.

# Passion
## intense

***

**3 décembre**

***

### Shannon McKenna
**Les frères McCloud - 6 - L'ultime passion**
*Inédit*

Les opérations secrètes, voilà la spécialité du mystérieux, sombre et séduisant Val Janos. Mais alors qu'il est sur le point de quitter le monde du crime, son patron prend par vengeance en otage son père adoptif pour retrouver sa liberté et sauver le vieil homme qui a recueilli Val alors qu'il était orphelin dans les rues de Budapest, Val doitalors rendre un dernier service à son boss : capturer la belle et insaisissable Tamara...

✦

### Bella Andre
**Les Sullivan - 4 - Toi, et toi seule**
*Inédit*

Bibliothécaire à San Francisco, Sophie Sullivan n'a jamais pu oublier Jake McCann, son amour d'enfance. Seulement voilà, malgré les années qui ont passé, lui ne voit en elle que la gentille petite Sophie. Autant dire que la femme qu'elle est devenue se rebelle. Il la prend pour une fillette ? Soit ! Sophie s'apprête à lui dévoiler les trésors de volupté qu'il semble ignorer...

# CRÉPUSCULE

Thea Harrison
*La chronique des Anciens - 5 - La chute du seigneur*
*Inédit*

Dragos, le seigneur des wyrs, a récemment perdu deux de ses sept Sentinelles, qu'il lui faut impérativement remplacer car sa sécurité est mise en danger. Afin de former une nouvelle ligue, et alors que sa compagne Pia s'apprête à rencontrer le peuple des Elfes pour pacifier les relations entre leurs communautés, Dragos lance les Jeux de Sentinelle...

5489

*Composition*
FACOMPO

*Achevé d'imprimer en Italie*
*par* GRAFICA VENETA
*le 20 octobre 2014*

Dépôt légal : octobre 2014
EAN 9782290082133
L21EPSN001165N001

ÉDITIONS J'AI LU
87, quai Panhard-et-Levassor, 75013 Paris

*Diffusion France et étranger : Flammarion*